Neil Gaiman

Koralina

Ilustrował Dave McKean

Przełożyła Paulina Braiter

Wydawnictwo MAG
Warszawa 2003

Tytuł oryginału:
Coraline

Redakcja:
Joanna Figlewska

Korekta:
Urszula Okrzeja

Ilustracja na okładce:
Dave McKean

Projekt okładki:
Hilary Zarycky

Opracowanie graficzne okładki:
Jarosław Musiał

Projekt typograficzny, skład i łamanie:
Tomek Laisar Fruń

ISBN 83-89004-34-8
Wydanie I

Wydawca:
Wydawnictwo MAG
ul. Boremlowska 48, 04-347 Warszawa
tel. (0-22) 610 11 29, tel./fax (0-22) 879 85 93
e-mail: kurz@mag.com.pl
http://www.mag.com.pl

Zacząłem dla Holly,
Skończyłem dla Maddy

Baśnie są bardziej niż prawdziwe: nie dlatego, iż mówią nam, że istnieją smoki, ale że uświadamiają, iż smoki można pokonać.

– G.K. Chesterton

I.

Koralina odkryła drzwi wkrótce po przeprowadzce do domu.

Był to bardzo stary dom – miał strych pod dachem i piwnicę pod ziemią, a wszystko otaczał zarośnięty ogród pełen wielkich, starych drzew.

Cały dom nie należał do rodziców Koraliny, był na to za duży. Kupili jednak jego część.

W starym domu mieszkali też inni ludzie.

Na parterze – panna Spink i panna Forcible. Obie były stare i okrągłe, i hodowały mnóstwo starzejących się szkockich terierów o imionach takich, jak Hamish, Andrew i Jock. Dawno, dawno temu panny Spink i Forcible były aktorkami. Panna Spink poinformowała o tym Koralinę, gdy tylko ją poznała.

– Widzisz, Karolino – powiedziała panna Spink, źle wymawiając imię Koraliny – w dawnych czasach obie z panną Forcible byłyśmy słynnymi aktorkami. Stąpałyśmy po scenie, skarbie. Och, nie pozwól Hamishowi jeść keksu, całą noc będzie go bolał brzuszek.

– Nazywam się Koralina, nie Karolina. Koralina – poprawiła Koralina.

Piętro nad Koraliną, pod samym dachem, mieszkał szalony starzec z wielkimi wąsami. Poinformował Koralinę, że zajmuje się tresurą mysiego cyrku. Nie pozwalał nikomu go zobaczyć.

– Pewnego dnia, mała Karolino, gdy wszystko będzie gotowe, cały świat ujrzy cuda mojego mysiego cyrku. Pytasz, czemu nie możesz obejrzeć go już teraz? Czyż nie o to spytałaś?

– Nie – odparła cicho Koralina. – Poprosiłam tylko, żeby nie nazywał mnie pan Karoliną. Mam na imię Koralina.

– Oto dlaczego nie możesz obejrzeć mysiego cyrku – oznajmił mężczyzna z góry. – Myszy nie są jeszcze gotowe. Nie są wytresowane, odmawiają też odgrywania piosenek, które dla nich napisałem. Wszystkie moje mysie piosenki brzmią tak: umpa, umpa. Ale białe myszy chcą grać wyłącznie tidu didu, o tak. Zastanawiam się, czy nie zacząć ich karmić innym gatunkiem sera.

Koralina wątpiła, by mysi cyrk istniał naprawdę. Podejrzewała, że stary człowiek wszystko wymyślił.

W dzień po przeprowadzce Koralina wyruszyła na wyprawę badawczą.

Zbadała ogród. Był wielki, na tyłach rozciągał się stary kort tenisowy, lecz nikt w domu nie grał w tenisa. Ogrodzenie wokół kortu świeciło dziurami, a siatka niemal całkowicie przegniła. Był tam też stary ogród różany, pełen zdziczałych, rozplenionych krzaków róż, i ogródek skalny złożony wyłącznie z kamieni, a także magiczny krąg podgniłych brązowych grzybków, które okropnie cuchnęły, gdy się na nie przypadkiem nadepnęło.

I studnia. Pierwszego dnia, gdy tylko rodzina Koraliny sprowadziła się do domu, panny Spink i Forcible uznały za stosowne poinformować Koralinę o niebezpieczeństwach związanych ze studnią. Ostrzegły, by trzymała się od niej z daleka. Toteż Koralina wyruszyła na poszukiwania, by wiedzieć, gdzie kryje się studnia, i móc skutecznie jej unikać.

Znalazła ją trzeciego dnia na zarośniętej łące obok kortu, za kępą drzew – niski, ceglany krąg, niemal całkowicie skryty wśród wysokich traw. Studnię przykryto deskami, by nikt nie wpadł do środka. W jednej z desek pozostała mała dziura po sęku. Przez całe popołudnie Koralina wrzucała do niej kamyki i żołędzie, i czekała, licząc, póki z dołu nie dobiegło odległe pluśnięcie, gdy kolejny pocisk uderzył w wodę.

Koralina badała także ogród, poszukując zwierząt. Znalazła jeża i wężową skórę (ale nie samego węża) oraz kamień, który wyglądał zupełnie jak żaba, i ropuchę wyglądającą jak kamień.

Widziała też wyniosłego czarnego kota, który siadywał na murach i pniach, i obserwował ją uważnie, lecz zmykał, gdy tylko podchodziła, próbując się z nim pobawić.

W ten sposób upłynęły jej pierwsze dwa tygodnie w domu – na badaniach ogrodu i okolicy.

Matka kazała jej wracać do mieszkania na lunch i obiad. Koralina musiała też pamiętać, by ubrać się ciepło przed wyjściem, tegoroczne lato było bowiem bardzo zimne, wychodziła jednak co dzień na badania, póki pewnego ranka nie rozpadał się deszcz. Wówczas musiała zostać pod dachem.

– Co mam robić? – spytała.

– Poczytaj książkę – odparła matka. – Obejrzyj film na wideo, pobaw się zabawkami. Idź, pozawracaj głowę pannom Spink i Forcible, albo szalonemu staruszkowi z góry.

– Nie – rzekła Koralina. – Nie chcę robić nic z tych rzeczy. Chcę badać.

– Tak naprawdę nie obchodzi mnie, co będziesz robić – powiedziała matka Koraliny. – Bylebyś tylko nie nabałaganiła.

Koralina podeszła do okna, patrząc w niebo. Deszcz nie należał do tych, podczas których można wychodzić na dwór – był jednym z owych deszczów, które rzucają się z chmur na ziemię i rozbryzgują dokoła. Był to poważny deszcz, uparcie zmierzający do celu, a obecnie jego cel stanowiło najwyraźniej zamienienie ogrodu w błotnistą, zimną breję.

Koralina obejrzała wszystkie kasety, nudziły ją zabawki i przeczytała już wszystkie swoje książki.

Włączyła telewizor i zaczęła przeskakiwać z kanału na kanał, wszędzie jednak panoszyli się mężczyźni w garniturach, opowiadający o giełdzie, oraz talk-showy. W końcu znalazła coś ciekawego – drugą połowę filmu przyrodniczego o zjawisku zwanym mimikrą. Oglądała zwierzęta, ptaki i owady udające liście, gałązki bądź inne zwierzęta, po to, by uniknąć stworzeń, które mogłyby je zranić. Film jej się podobał, skończył się jednak bardzo szybko. A potem nadawano program o fabryce ciastek.

Nadszedł czas, by porozmawiać z ojcem.

Ojciec Koraliny był w domu. Oboje rodzice pracowali przy komputerach, co oznaczało, że bardzo często przesiadywali w domu. Każde z nich miało własny gabinet.

– Cześć, Koralino – powiedział ojciec, gdy weszła do środka. Nawet nie odwrócił głowy.

– Mmhm – odparła Koralina. – Pada.

– Owszem – przytaknął ojciec. – Leje jak z cebra.

– Nie – nie zgodziła się Koralina. – Po prostu pada. Mogę wyjść na dwór?

– Co mówi twoja matka?

– Mówi: Nie wyjdziesz w taką pogodę, Koralino Jones.

– A zatem nie.

– Ale ja chcę badać dalej.

– Zatem badaj mieszkanie – zaproponował ojciec. – Proszę, oto kartka papieru i długopis. Policz wszystkie drzwi i okna, wymień wszystko, co niebieskie, zorganizuj wyprawę i poszukaj bojlera, i daj mi spokojnie pracować.

– Mogę wejść do salonu?

W salonie Jonesowie przechowywali drogie (i niewygodne) meble, które pozostawiła im w spadku babcia Koraliny. Koralinie nie wolno było tam wchodzić. Nikt tam nie wchodził. I dobrze.

– Jeśli nie nabałaganisz. I niczego nie dotykaj.

Koralina zastanowiła się poważnie, a potem wzięła kartkę i długopis, i wyruszyła na badanie mieszkania.

Odkryła bojler (mieścił się w szafce w kuchni).

Policzyła wszystko co niebieskie (153).

Policzyła okna (21).

Policzyła drzwi (14).

Ze znalezionych przez nią drzwi trzynaścioro otwierało się i zamykało. Pozostałe – wielkie, rzeźbione, brązowe, drewniane drzwi w najdalszym kącie salonu – były zamknięte na klucz.

– Dokąd prowadzą te drzwi? – spytała matkę.

– Donikąd, kochanie.

– Dokądś muszą.

Matka pokręciła głową.

– Spójrz – powiedziała.

Wyciągnęła rękę i z górnej framugi kuchennej zdjęła pęk kluczy. Przejrzała je uważnie i wybrała najstarszy, największy, najczarniejszy, najbardziej zardzewiały. Razem ruszyły do salonu. Matka przekręciła klucz w zamku.

Drzwi otwarły się szeroko.

Matka miała rację, drzwi prowadziły donikąd. Za nimi widniała ceglana ściana.

– Gdy cały dom był jedną całością – oznajmiła matka Koraliny – drzwi dokądś wiodły. Kiedy podzielono go na odrębne mieszkania, po prostu je zamurowali. Po drugiej stronie mieści się puste mieszkanie, wciąż czekające na kupca.

Zamknęła drzwi i odwiesiła pęk kluczy na haczyk.

– Nie zamknęłaś ich – przypomniała Koralina.

Matka wzruszyła ramionami.

– Po co miałabym je zamykać? – spytała. – Donikąd nie prowadzą.

Koralina nie odpowiedziała.

Na dworze było już niemal ciemno. Deszcz wciąż padał, bębniąc o okna i zamieniając światła samochodów na ulicy w rozmazane plamy.

Ojciec Koraliny skończył pracę i przyrządził obiad. Koralina była oburzona.

– Tato – rzuciła. – Znów zrobiłeś przepis.

– To potrawka z porów i ziemniaków, przyprawiona estragonem i stopionym serem gruyere – przyznał ojciec.

Koralina westchnęła. Poszła do zamrażarki, wyjęła frytki i minipizzę do podgrzania w mikrofalówce.

– Wiesz, że nie lubię przepisów – poinformowała ojca. Jej obiad obracał się niestrudzenie, a małe czerwone cyferki na wyświetlaczu kuchenki mikrofalowej malały, zmierzając ku zeru.

– Gdybyś spróbowała, może by ci zasmakowało – zaproponował ojciec Koraliny, ona jednak tylko pokręciła głową.

Tej nocy Koralina leżała w łóżku i słuchała deszczu. W końcu przestało padać. Już prawie zasypiała, gdy usłyszała szmer *t-t-t-t-t*. Usiadła na łóżku.

Coś zaskrzypiało, *skrrrzzz...*

...yyyypp

Koralina wyskoczyła z łóżka i wyjrzała na korytarz. Nie dostrzegła jednak niczego dziwnego. Ruszyła naprzód. Z sypialni rodziców dobiegało ciche chrapanie – ojca – i od czasu do czasu senne mamrotanie – to matka.

Koralina zastanawiała się, czy może to coś, czymkolwiek było, nie przyśniło się jej przypadkiem.

Coś się poruszyło.

Niewiele więcej niż cień. I ów cień przebiegł szybko przez ciemny korytarz, niczym maleńki skrawek nocy.

Miała nadzieję, że to nie pająk. Koralina bardzo źle się czuła w towarzystwie pająków.

Ciemny kształt zniknął w salonie i Koralina nieco nerwowo podążyła jego śladem.

W pokoju panował mrok. Jedyne światło padało z korytarza i Koralina stojąca w progu rzucała na salonową wykładzinę wielki, zniekształcony cień – wyglądała niczym chuda olbrzymka.

Koralina zastanawiała się właśnie, czy powinna zapalić światło, gdy ujrzała, jak ów ciemny kształt wysuwa się powoli spod kanapy. Na chwilę zamarł, po czym bezszelestnie śmignął po dywanie w najdalszy kąt pokoju.

W tym kącie nie stał żaden mebel.

Koralina zapaliła lampę.

Nie zobaczyła niczego, jedynie stare drzwi, wychodzące na ceglaną ścianę.

Była pewna, że matka je zamknęła, teraz jednak uchylały się odrobinę – ot, wąziutka szczelina.

Koralina podeszła bliżej i zajrzała przez nią. Nic – jedynie ściana z czerwonych cegieł.

Zamknęła stare drewniane drzwi, zgasiła światło i wróciła do łóżka.

Śniła o czarnych kształtach, przemykających z miejsca na miejsce, unikających światła. W końcu zebrały się wszystkie pod księżycem – małe czarne stworzenia o maleńkich czerwonych oczkach i ostrych żółtych zębach.

Zaczęły śpiewać.

Jesteśmy mali, lecz jest nas wiele,
Jest nas tu wiele, jesteśmy mali.
Byliśmy tu przed waszym wzlotem,
Będziemy, gdy świat się zawali.

Głosy miały wysokie, szepczące i lekko jękliwe. Ich dźwięk budził w Koralinie niepokój.

Potem Koralinie przyśniło się kilka reklam, a później zupełnie nic.

II.

Następnego dnia przestało padać, lecz cały świat zasnuła gęsta biała mgła.

– Idę na spacer – oznajmiła Koralina.

– Nie odchodź zbyt daleko – upomniała ją matka. – I ubierz się ciepło.

Koralina włożyła niebieską kurtkę z kapturem, czerwony szalik i żółte kalosze.

Wyszła na dwór.

Panna Spink właśnie wyprowadzała psy.

– Witaj, Karolino – pozdrowiła ją. – Paskudna pogoda.

– Tak – przytaknęła Koralina.

– Grałam kiedyś Porcję – oznajmiła panna Spink. – Panna Forcible opowiada często o swej Ofelii, ale to moją Porcję przychodzili oglądać, gdy stąpałyśmy po scenie.

Panna Spink opatulona w pulowery i rozpinane swetry wydawała się niższa i bardziej krągła niż zwykle. Przypominała wielkie puchate jajko. Za grubymi szkłami okularów jej oczy wydawały się olbrzymie.

– Przysyłali mi kwiaty do garderoby. Naprawdę to robili – dodała.

– Kto taki? – spytała Koralina.

Panna Spink rozejrzała się ostrożnie, zerkając najpierw przez jedno ramię, potem przez drugie, i próbując przeniknąć wzrokiem mgłę, jakby ktoś mógł je podsłuchać.

– Mężczyźni – szepnęła. Przyciągnęła do siebie psy i podreptała w stronę domu.

Koralina ruszyła dalej.

W trzech czwartych okrążyła już dom, gdy ujrzała pannę Forcible, stojącą w drzwiach mieszkania, które dzieliła z panną Spink.

– Widziałaś może pannę Spink, Karolino?

Koralina odparła, że owszem i że panna Spink wyszła z psami.

– Mam nadzieję, że się nie zgubi. Jeszcze dostanie od tego półpaśca, zobaczysz – mruknęła panna Forcible. – Trzeba być prawdziwym badaczem czy podróżnikiem, by odnaleźć drogę w tej mgle.

– Ja jestem badaczem – powiedziała Koralina.

– Oczywiście, że tak, słonko – przytaknęła panna Forcible. – Tylko się nie zgub.

Koralina nadal spacerowała po spowitym w szarą mgłę ogrodzie. Cały czas nie spuszczała z oczu domu. Po jakichś dziesięciu minutach znalazła się tam, skąd wyszła.

Opadające jej na oczy włosy były ciężkie i mokre. Twarz miała wilgotną.

– Ahoj, Karolino! – zawołał szalony starzec z góry.

– Och, cześć – odparła Koralina.

Ledwie widziała jego twarz we mgle.

Zszedł po zewnętrznych schodach domu, prowadzących do frontowych drzwi Koraliny i dalej, do jego mieszkania. Schodził bardzo powoli. Koralina czekała na dole.

– Myszy nie lubią mgły – oświadczył. – Przez nią opadają im wąsiki.

– Ja też niezbyt lubię mgłę – przyznała Koralina.

Stary człowiek pochylił się ku niej. Był tak blisko, że koniuszki jego wąsów załaskotały Koralinę w ucho.

– Myszy mają dla ciebie wiadomość – szepnął.

Koralina nie wiedziała, co powiedzieć.

– Wiadomość brzmi następująco: „Nie przechodź przez drzwi" – zawiesił głos. – Czy to coś dla ciebie znaczy?

– Nie – odparła Koralina.

Stary człowiek wzruszył ramionami.

– Myszy bywają dziwne, wciąż coś im się miesza. Na przykład twoje imię. Cały czas mówiły Koralina, nie Karolina. Wcale nie Karolina.

Podniósł z ziemi butelkę mleka i ruszył z powrotem do mieszkania na górze.

Koralina wróciła do domu. Matka pracowała w gabinecie, w pokoju pachniało kwiatami.

– Co mam robić? – spytała Koralina.

– Kiedy wracasz do szkoły? – zainteresowała się matka.

– W przyszłym tygodniu.

– Mhm – mruknęła matka. – Chyba będę musiała sprawić ci nowe ubranie. Przypomnij mi kochanie, bo zapomnę. – Po czym wróciła do stukania w klawisze i wpatrywania się w ekran monitora.

– Co mam robić? – powtórzyła Koralina.

– Narysuj coś. – Matka wręczyła jej kartkę papieru i długopis.

Koralina próbowała narysować mgłę. Po dziesięciu minutach wciąż miała przed sobą białą kartkę papieru. W jednym rogu lekko chwiejnymi literami wypisała:

M A.
Ł
G

Mruknęła coś pod nosem i podała rysunek matce.

– Mhm, bardzo nowoczesny, kochanie.

Koralina zakradła się do salonu i spróbowała otworzyć stare drzwi w kącie. Znów były zamknięte na klucz. Przypuszczała, że zrobiła to matka. Wzruszyła ramionami.

Potem poszła do ojca.

Siedział tyłem do drzwi, stukając w klawisze.

– Odejdź – rzucił wesoło, gdy przekroczyła próg.

– Nudzę się – oznajmiła.

– Naucz się stepować – powiedział, nie odwracając się.

Koralina pokręciła głową.

– Może byś się ze mną pobawił?

– Jestem zajęty – rzekł. – Pracuję – dodał. Wciąż na nią nie patrzył. – Może pójdziesz pozawracać głowę pannom Spink i Forcible?

Koralina włożyła kurtkę, naciągnęła kaptur i wyszła z domu. Zbiegła na dół. Nacisnęła dzwonek panien Spink i Forcible. Natychmiast usłyszała gorączkowe szczekanie – to szkockie pieski wybiegły do przedpokoju. Po chwili panna Spink otworzyła drzwi.

– A, to ty Karolino. Angusie, Hamishu, Bruce. Spokojnie, moje skarby, to tylko Karolina. Wejdź, kochanie. Napijesz się herbatki?

W mieszkaniu pachniało pastą do mebli i psami.

– Tak, poproszę – odparła Koralina. Panna Spink poprowadziła ją do małego, zakurzonego pokoju, który nazywała salonikiem. Na ścianach wisiały czarno-białe zdjęcia ładnych kobiet i oprawione programy teatralne. Panna Forcible siedziała w jednym z foteli i szybko robiła na drutach.

Gospodynie nalały Koralinie herbaty do małej różowej porcelanowej filiżanki ze spodeczkiem. Poczęstowały ją też suchym herbatnikiem.

Panna Forcible spojrzała na pannę Spink, zaczęła jeszcze szybciej machać drutami i odetchnęła głęboko.

– W każdym razie, April, jak już mówiłam, musisz przyznać, że mamy jeszcze w sobie dość życia.

– Miriam, moja droga. Nie jesteśmy już tak młode jak kiedyś.

– Madame Arcati – odparła panna Forcible. – Piastunka w „Romeo i Julii", lady Bracknell. Role charakterystyczne. Nigdy nie jest się za starym na scenę.

– Miriam, uzgodniłyśmy to już przecież. – Panna Spink westchnęła. Koralina zastanawiała się, czy nie zapomniały przypadkiem o jej obecności. Dla niej ich rozmowa nie miała sensu. Uznała, że kontynuują dawną kłótnię, starą i wysłużoną jak ich fotel, jedną z tych, w których nikt nie wygrywa ani nie przegrywa i które mogą trwać wiecznie, jeśli tylko obie strony mają na to ochotę.

Pociągnęła łyk herbaty.

– Jeśli chcesz, powróżę ci z fusów – zaproponowała panna Spink.

– Słucham? – rzekła Koralina.

– Z fusów herbacianych, kochanie. Przepowiem ci przyszłość.

Koralina wręczyła pannie Spink swoją filiżankę. Starsza kobieta spojrzała na czarne herbaciane fusy oczami krótkowidza. Ściągnęła wargi.

– Wiesz, Koralino – rzekła po chwili. – Grozi ci straszliwe niebezpieczeństwo.

Panna Forcible prychnęła i odłożyła robótkę.

– Nie bądź niemądra, April. Przestań straszyć tę małą. Chyba zaczynasz ślepnąć. Podaj mi tę filiżankę, dziecko.

Koralina posłusznie zaniosła ją pannie Forcible. Tamta uważnie zajrzała do środka, pokręciła głową i ponownie spojrzała w głąb filiżanki.

– Ojej – mruknęła – miałaś rację, April. Rzeczywiście grozi jej niebezpieczeństwo.

– Widzisz, Miriam? – rzuciła tryumfalnie panna Spink. – Moje oczy są równie dobre, jak kiedyś...

– Co dokładnie mi grozi? – spytała Koralina.

Panny Spink i Forcible spojrzały na nią pustym wzrokiem.

– Nie wiadomo – oznajmiła panna Spink. – Fusy nie przekazują tego typu informacji. Nie nadają się.

Są świetne, jeśli chodzi o sprawy ogólne, ale nie o szczegóły.

– Co więc mam robić? – spytała Koralina, lekko tym wszystkim zaniepokojona.

– Nie noś zieleni w garderobie – podsunęła panna Spink.

– I nie wspominaj o szkockiej sztuce – dodała panna Forcible.

Koralina zastanawiała się, czemu jedynie nieliczni dorośli, których zdążyła poznać, potrafią mówić z sensem. Czasami nie wiedziała, czy w ogóle zdają sobie sprawę z tego, z kim rozmawiają.

– I bądź bardzo, bardzo ostrożna – dodała panna Spink. Wstała z fotela i podeszła do kominka. Na jego obramowaniu stał niewielki słój. Panna Spink zdjęła pokrywkę i zaczęła wyciągać z niego najróżniejsze przedmioty – maleńką porcelanową kaczkę, naparstek, dziwną małą mosiężną monetę, dwa spinacze i kamień z dziurką.

Wręczyła go Koralinie.

– Do czego on służy? – spytała Koralina. Dziurka przechodziła przez środek kamienia. Koralina uniosła go do okna i spojrzała przez otwór.

– Może pomóc – oznajmiła panna Spink. – Czasami przydają się, gdy jest źle.

Koralina włożyła kurtkę, pożegnała się z pannami Spink i Forcible oraz z psami i wyszła na dwór.

Mgła niczym ślepa ściana otaczała dom. Koralina podeszła wolno do schodów wiodących na górę. Potem zatrzymała się i rozejrzała.

We mgle świat zamienił się w krainę duchów. Niebezpieczeństwo – pomyślała Koralina. To brzmiało podniecająco. Wcale nie wydawało się złe. Nie tak naprawdę.

Wróciła na górę, mocno zaciskając palce wokół swojego nowego kamienia.

III.

Następnego dnia świeciło słońce i matka Koraliny zabrała ją do najbliższego dużego miasta, żeby kupić strój do szkoły. Podrzuciły ojca na dworzec kolejowy. Wybierał się na cały dzień do Londynu na spotkanie z jakimiś ludźmi.

Koralina pomachała mu na pożegnanie.

Razem weszły do sklepu.

Koralina natychmiast znalazła jaskrawoseledynowe rękawiczki, które bardzo jej się spodobały. Matka nie chciała ich jednak kupić. Zamiast tego wybrała białe skarpetki, granatowe szkolne rajstopy, cztery szare bluzy i ciemnoszarą spódnicę.

– Ale mamo, wszyscy w szkole mają szare bluzy i tak dalej. Nikt nie ma zielonych rękawiczek. Byłabym jedyna.

Matka puściła jej słowa mimo uszu. Rozmawiała ze

sprzedawczynią. Dyskutowały o tym, jaki sweter kupić Koralinie, i zgadzały się, że najlepszy będzie okropnie wielki i obwisły. Miały nadzieję, że któregoś dnia do niego dorośnie.

Koralina odeszła na bok i zaczęła oglądać wystawę pełną kaloszy w kształcie żab, kaczek i królików.

Potem wróciła.

– Koralino? A, jesteś. Gdzie się u licha podziewałaś?

– Porwali mnie obcy – oznajmiła Koralina. – Przylecieli z kosmosu, mieli lasery, ale oszukałam ich, bo założyłam perukę i śmiałam się z obcym akcentem. Nie poznali mnie i uciekłam.

– Tak, kochanie. Myślę, że przydałyby ci się jeszcze spinki do włosów. Nie sądzisz?

– Nie.

– Powiedzmy pół tuzina, tak na wszelki wypadek – mruknęła matka.

Koralina milczała.

Już w samochodzie, w drodze do domu, Koralina spytała.

– Co jest w pustym mieszkaniu?

– Nie wiem. Pewnie nic. Zapewne wygląda tak jak nasze, nim się wprowadziliśmy. Puste pokoje.

– Myślisz, że moglibyśmy dostać się do niego z naszego mieszkania?

– Nie, chyba że potrafisz przenikać przez ceglane ściany, kochanie.

– Ach tak.

Wróciły do domu w porze lunchu. Słońce świeciło, lecz dzień był chłodny. Matka Koraliny zajrzała do lodówki i znalazła smutnego, samotnego pomidora oraz kawałek sera porośniętego czymś zielonym. W chlebaku została tylko skórka.

– Lepiej skoczę do sklepu i kupię paluszki rybne czy coś w tym stylu – powiedziała z westchnieniem matka. – Chcesz iść ze mną?

– Nie – odparła Koralina.

– Jak sobie życzysz – mruknęła matka i wyszła. Po chwili wróciła, zabrała torebkę i kluczyki, i znów zniknęła.

Koralina się nudziła.

Zaczęła przerzucać kartki książki, którą czytała matka. Książka traktowała o tubylcach z dalekiego kraju, o tym, jak co dnia biorą kawałki białego jedwabiu, rysują na nim woskiem, potem zanurzają jedwabie w farbie, znów rysują woskiem, znów farbują. Następnie usuwają wosk, gotując jedwab w gorącej wodzie, i w końcu wrzucają piękne tkaniny w ogień i palą je na popiół.

Koralinie wszystko to wydało się kompletnie bezsensowne. Miała jednak nadzieję, że przynajmniej tamci ludzie dobrze się bawią.

Wciąż się nudziła, a matka nadal nie wracała.

Koralina zabrała krzesło, przysunęła je do drzwi kuchennych. Wdrapała się na siedzenie i wyciągnęła rękę. Zeszła, ze schowka wyjęła szczotkę, wróciła na krzesło i sięgnęła szczotką.

Brzęk.

Zeszła z krzesła i podniosła klucze. Uśmiechnęła się zwycięsko. Potem odstawiła szczotkę pod ścianę i ruszyła do salonu.

Rodzina nie korzystała z tego pokoju. Meble odziedziczyli po babce Koraliny, podobnie drewniany stolik kawowy, boczny stolik, ciężką szklaną popielnicę i obraz olejny przedstawiający misę z owocami. Koralina nie mogła zrozumieć, czemu ktokolwiek miałby chcieć malować misę z owocami. Poza tym pokój był pusty – żadnych bibelotów na kominku, figurek ani zegarów. Nic, co sprawiałoby, że wydałby się przytulniejszy, zamieszkany.

Stary czarny klucz zdawał się zimniejszy niż pozostałe. Wepchnęła go do dziurki. Obrócił się gładko, z zadowalającym szczęknięciem.

Koralina zamarła, nasłuchując. Wiedziała, że robi coś, czego nie powinna, i nadstawiała uszu, czy przypadkiem matka nie wróciła. Niczego jednak nie usłyszała. Potem położyła dłoń na gałce, przekręciła ją i w końcu otwarła drzwi.

Za nimi rozciągał się ciemny korytarz. Cegły zniknęły, jakby nigdy ich tam nie było. Z otwartych drzwi wypływał lodowaty zapach wilgoci. Woń ta przywodziła na myśl coś bardzo starego i bardzo powolnego.

Koralina przeszła przez drzwi.

Zastanawiała się, jak będzie wyglądało puste mieszkanie – jeśli to do niego prowadzi korytarz.

Z każdym krokiem ogarniał ją większy niepokój. Korytarz wydawał się bardzo znajomy.

Wykładzina pod jej stopami była tą samą wykładziną, która leżała u nich w mieszkaniu. Tapeta tą samą tapetą. Wiszący w holu obraz był tym samym obrazem, który wisiał u nich w domu.

Wiedziała, gdzie się znalazła: we własnym mieszkaniu. W ogóle z niego nie wyszła.

Oszołomiona, pokręciła głową.

Zaczęła wpatrywać się w wiszący na ścianie obraz: nie, nie był dokładnie taki sam. Ten u nich w domu przedstawiał chłopca w staroświeckim ubraniu, patrzącego na bańki mydlane. Teraz jednak chłopak miał zupełnie inny wyraz twarzy – patrzył na bańki, jakby zamierzał zrobić z nimi coś paskudnego. W jego oczach kryło się coś dziwnego.

Koralina przyglądała się uważnie, próbując ustalić, czym różnią się obrazy.

Niemal jej się udało, gdy nagle ktoś powiedział:

– Koralina?

Brzmiało to zupełnie jak głos jej matki. Koralina weszła do kuchni, z której dobiegał. Stała w niej kobieta, zwrócona do niej plecami. Przypominała nieco matkę Koraliny, tyle że...

Tyle że skórę miała białą jak papier.

Tyle że była wyższa i chudsza.

Tyle że palce miała za długie i cały czas nimi poruszała, a jej ciemnoczerwone paznokcie były ostre i zakrzywione.

– Koralina? – powtórzyła kobieta. – To ty?

A potem się odwróciła. Zamiast oczu miała wielkie czarne guziki.

– Czas na lunch, Koralino – oznajmiła kobieta.

– Kim jesteś? – spytała Koralina.

– Jestem twoją drugą matką. Idź, powiedz twojemu drugiemu ojcu, że lunch już gotowy. – Otworzyła drzwiczki piekarnika. Nagle Koralina uświadomiła sobie, jak bardzo jest głodna. Jedzenie pachniało cudownie. – No, dalej.

Koralina ruszyła korytarzem w stronę pokoju, w którym mieścił się gabinet ojca. Otworzyła drzwi. Przy komputerze siedział mężczyzna, zwrócony do niej plecami.

– Cześć – zagadnęła. – Ja... To znaczy, ona kazała powiedzieć, że lunch jest już gotowy.

Mężczyzna odwrócił się.

Zamiast oczu miał guziki, wielkie, czarne i błyszczące.

– Cześć, Koralino – powiedział. – Umieram z głodu.

Wstał i wraz z nią wrócił do kuchni. Usiedli przy stole. Druga matka Koraliny przyniosła im lunch –

wielkiego, złocistobrązowego pieczonego kurczaka, pieczone ziemniaki, mały zielony groszek. Koralina zaczęła pałaszować. Wszystko smakowało wspaniale.

– Bardzo długo na ciebie czekaliśmy – oznajmił drugi ojciec Koraliny.

– Na mnie?

– Tak – potwierdziła druga matka. – Bez ciebie nie było tu tak samo. Ale wiedzieliśmy, że któregoś dnia się zjawisz i staniemy się prawdziwą rodziną. Jeszcze kurczaka?

To był najlepszy kurczak, jakiego kiedykolwiek jadła. Jej matka czasami także piekła kurczaka, zawsze jednak pochodził z paczki albo z zamrażarki, był bardzo suchy i smakował zupełnie nijako. Gdy to ojciec Koraliny przyrządzał kurczaka, kupował prawdziwego, ale robił z nim dziwne rzeczy, na przykład dusił w winie albo nadziewał suszonymi śliwkami czy zapiekał w cieście i Koralina z zasady odmawiała nawet spróbowania.

Wzięła dokładkę kurczaka.

– Nie wiedziałam, że mam jeszcze drugą matkę – rzekła ostrożnie.

– Oczywiście, że masz. Każdy ma. – Czarne guzikowe oczy drugiej matki błysnęły. – Może po lunchu będziesz chciała pobawić się w swoim pokoju ze szczurami?

– Ze szczurami?

– Z góry.

Koralina nigdy nie widziała szczura, wyłącznie w telewizji. Już nie mogła się doczekać. Wyglądało na to, że dzień będzie jednak bardzo interesujący.

Po lunchu drudzy rodzice pozmywali, a Koralina poszła do swej drugiej sypialni.

Różniła się od sypialni w domu. Po pierwsze, pomalowano ją na zielono, w ohydnym odcieniu, oraz w równie dziwacznym odcieniu różowego.

Koralina uznała, że nie chciałaby tu sypiać, ale same kolory są zdecydowanie ciekawsze niż w jej własnej sypialni.

W pokoju znalazła mnóstwo niesamowitych rzeczy, których nigdy wcześniej nie oglądała: nakręcane anioły, fruwające po sypialni niczym spłoszone wróble, książki z obrazkami, które wiły się, pełzały i migotały, małe czaszki dinozaurów; gdy przechodziła, kłapały na nią zębami. Całą skrzynkę pełną cudownych zabawek.

Tak już lepiej – pomyślała Koralina. Wyjrzała przez okno. Na zewnątrz widok był taki sam, jak z jej własnej sypialni: drzewa, pola, a dalej za nimi na horyzoncie odległe, fioletowe wzgórza.

Coś czarnego przebiegło przez podłogę i zniknęło pod łóżkiem. Koralina uklękła i zajrzała w mrok. Z ciemności spojrzało na nią pięćdziesięcioro małych czerwonych oczu.

– Cześć – powiedziała Koralina. – Czy jesteście szczurami?

Wówczas wyszły spod łóżka, mrugając, oślepione światłem. Miały krótkie, czarne jak sadza futerko, małe czerwone oczy, różowe łapki przypominające maleńkie dłonie, i różowe bezwłose ogony, podobne do długich, gładkich dżdżownic.

– Umiecie mówić? – zapytała.

Największy, najczarniejszy ze szczurów pokręcił głową. Nieprzyjemnie się uśmiecha – pomyślała Koralina.

– Co zatem potraficie?

Szczury utworzyły krąg.

Zaczęły wdrapywać się na siebie, ostrożnie, lecz szybko. Po chwili ustawiły się w piramidę z największym szczurem na szczycie.

I wtedy zaśpiewały wysokimi szepczącymi głosami:

Mamy ogony, uszy jak liście,
Mamy zębiska, gryźć umiemy,
Byliśmy tu, nim upadliście,
Będziemy tu, gdy powstaniemy.

Nie była to ładna piosenka. Koralina miała nieodparte wrażenie, że słyszała ją już kiedyś, bądź coś bardzo podobnego. Nie potrafiła jednak sobie przypomnieć, gdzie.

A potem piramida się rozpadła i szczury, szybkie i czarne, pomknęły w stronę drzwi. Na progu stał drugi szalony starzec z góry. W dłoniach trzymał czarny cylinder. Szczury wbiegły po nim, wciskając się do kieszeni, pod koszulę, pod nogawki, na plecy.

Największy szczur wdrapał się na ramiona starego człowieka, chwycił się długich szarych wąsów, minął oczy z wielkich czarnych guzików i wylądował na czubku głowy.

Po kilku sekundach jedynym śladem obecności szczurów pozostały ruchliwe wybrzuszenia na ubraniu starca, poruszające się nieustannie. A także największy szczur, który spoglądał z czubka jego głowy na Koralinę błyszczącymi czerwonymi oczami.

Stary człowiek założył cylinder i ostatni szczur zniknął.

– Witaj, Koralino – rzekł drugi staruszek z góry. – Słyszałem, że tu jesteś. Czas, by szczury zjadły obiad. Ale jeśli chcesz, możesz pójść ze mną i popatrzeć.

W oczach z guzików pojawił się głód, który sprawił, że Koralina poczuła się niepewnie.

– Nie, dziękuję – odparła. – Idę na dwór pobadać.

Stary człowiek powoli skinął głową. Koralina usłyszała szczury – szeptały coś do siebie, choć nie potrafiła stwierdzić, co.

Nie była pewna, czy chciałaby to wiedzieć.

Jej drudzy rodzice stali w wejściu do kuchni. Minęła ich w drodze na zewnątrz. Uśmiechali się identycznie i wolno machali rękami.

– Baw się dobrze na dworze – powiedziała druga matka.

– Zaczekamy tu, aż wrócisz – dodał drugi ojciec.

Gdy Koralina dotarła do drzwi frontowych, odwróciła się i spojrzała na nich. Wciąż ją obserwowali. Machali i uśmiechali się.

Koralina wyszła na zewnątrz. Zbiegła po schodach.

IV.

Zzewnątrz dom wyglądał dokładnie tak samo – czy niemal dokładnie tak samo. Wokół drzwi panien Spink i Forcible wisiały niebieskie i czerwone żaróweczki, które rozbłyskiwały, tworząc kolejne wyrazy. Światełka ścigały się wokół drzwi, błyskały i przygasały. Krążyły bez chwili wytchnienia.

ZDUMIEWAJĄCE!

A po nim

WYDARZENIE!

i

TEATRALNE!!!

Był chłodny, słoneczny dzień, dokładnie taki sam jak wcześniej.

Za plecami usłyszała uprzejme chrząknięcie. Obejrzała się przez ramię. Na murku obok niej siedział

duży czarny kot, identyczny jak duży czarny kot, którego widywała w pobliżu swego domu.

– Dzień dobry – powiedział.

Jego głos brzmiał niczym ten, który Koralina słyszała we własnym umyśle, głos, którym myślała, tyle że należał do mężczyzny, nie do dziewczynki.

– Cześć – odparła Koralina. – Widziałam takiego samego kota w ogrodzie przy domu. Ty musisz być drugim kotem.

Kot pokręcił głową.

– Nie – rzekł – nie jestem drugim kotem, tylko sobą. – Lekko przekrzywił głowę, zielone oczy rozbłysły. – Wy, ludzie rozmieniacie się na drobne, natomiast koty trzymają się w garści, jeśli rozumiesz, co mam na myśli.

– Chyba tak. Jeżeli jednak jesteś tym samym kotem, którego widziałam w domu, to skąd umiesz mówić?

Koty nie mają ramion, nie takie jak ludzie. Jednakże ten kot wzruszył ramionami – jednym szybkim gestem, który rozpoczął się od czubka ogona, a skończył uniesieniem wąsików.

– Umiem mówić.

– W domu koty nie mówią.

– Nie? – spytał kot.

– Nie – potwierdziła Koralina.

Kot zeskoczył wdzięcznie z murka na trawę obok stóp Koraliny. Uniósł wzrok i spojrzał na nią.

– Cóż, zapewne mam do czynienia z ekspertem – powiedział sucho. – Ostatecznie, co ja wiem? Jestem tylko kotem.

Zaczął się oddalać, unosząc dumnie głowę i ogon.

– Wróć, proszę! – zawołała Koralina. – Przepraszam, naprawdę.

Kot zatrzymał się, usiadł i rozpoczął staranną toaletę, jakby nie dostrzegając obecności Koraliny.

– My... no wiesz, moglibyśmy się zaprzyjaźnić – dodała Koralina.

– Moglibyśmy też zamienić się w rzadkie okazy egzotycznej rasy afrykańskich tańczących słoni – odparł kot. – Ale nimi nie jesteśmy. A przynajmniej – dodał cierpko, zerkając znacząco na Koralinę – ja nim nie jestem.

Koralina westchnęła.

– Proszę, jak masz na imię? – zapytała. – Ja jestem Koralina.

Kot ziewnął powoli, starannie, ukazując wnętrze pyszczka i język zdumiewająco różowej barwy.

– Koty nie mają imion – odparł.

– Nie? – spytała Koralina.

– Nie – potwierdził kot. – Wy, ludzie, macie imiona. To dlatego, że nie wiecie, kim jesteście. My wiemy, kim jesteśmy, więc nie potrzebujemy imion.

Samozadowolenie kota powoli zaczynało ją irytować. Zachowywał się zupełnie, jakby według niego na całym świecie tylko on się liczył, tylko jego zdanie miało jakiekolwiek znaczenie.

Połowa Koraliny pragnęła potraktować go bardzo nieuprzejmie, druga chciała być grzeczna i pełna szacunku. Grzeczna połowa zwyciężyła.

– Powiedz, proszę, co to za miejsce?

Kot rozejrzał się wokół.

– To tutaj – oznajmił.

– Widzę. Jak się tu dostałeś?

– Tak jak ty. Przyszedłem – odparł kot. – O, tak.

Koralina patrzyła, jak kot przechodzi powoli przez trawnik. Zniknął za drzewem i nie wyszedł z drugiej strony. Podeszła bliżej i zajrzała za pień. Kota nie było.

Wróciła w stronę domu. Za plecami usłyszała kolejne uprzejme chrząknięcie. Kot.

– A przy okazji – rzekł – to bardzo rozsądne, że zabrałaś coś do ochrony. Na twoim miejscu nie rozstawałbym się z nim.

– Do ochrony?

– To właśnie powiedziałem – odparł kot. – A poza tym...

Urwał, wpatrując się uważnie w coś, czego nie było. Nagle przypadł do ziemi, ruszył wolno naprzód – krok, dwa, trzy kroki. Zdawało się, że skrada się ku niewidzialnej myszy. Niespodziewanie odwrócił się i śmignął między drzewa.

Zniknął wśród pni.

Koralina zastanawiała się, co miał na myśli.

Zastanawiała się też, czy tam, skąd przybyła, wszystkie koty potrafią mówić, tyle że po prostu nie chcą, czy może umieją mówić tylko tutaj – gdziekolwiek jest tutaj.

Powędrowała ceglanymi schodami do frontowych drzwi panien Spink i Forcible. Czerwone i niebieskie żaróweczki mrugały niestrudzenie.

Drzwi były otwarte, lekko uchylone. Zapukała, lecz pierwsze stuknięcie sprawiło, że otwarły się szerzej. Koralina weszła do środka.

Znalazła się w ciemnym pomieszczeniu, w którym pachniało kurzem i aksamitem. Drzwi zatrzasnęły się za nią. Zapadła ciemność. Koralina ostrożnie ruszyła naprzód do małej sieni. Jej twarz musnęło coś miękkiego – materiał. Wyciągając rękę, pchnęła tkaninę, która się rozdzieliła.

Koralina zamrugała gwałtownie. Stała po drugiej stronie aksamitnej zasłony w słabo oświetlonym teatrze. Po przeciwnej stronie pomieszczenia wznosiła się wysoka drewniana scena, pusta i naga. Oświetlał ją zawieszony wysoko słaby reflektor.

Pomiędzy Koraliną a sceną stały fotele. Całe rzędy foteli. Usłyszała szuranie i zobaczyła zbliżające się światełko, kołyszące się z boku na bok. Wkrótce się przekonała, że pada z latarki trzymanej w zębach przez wielkiego czarnego szkockiego psa o posiwiałym ze starości pysku.

– Cześć – powiedziała Koralina.

Pies odłożył latarkę na podłogę.

– W porządku, poproszę o bilet – powiedział szorstko.

– Bilet?

– To właśnie powiedziałem. Bilet. Nie mam całego dnia. Nie możesz oglądać przedstawienia bez biletu.

Koralina westchnęła.

– Nie mam biletu – przyznała.

– Jeszcze jedna – mruknął ponuro pies. – Wchodzi tu sobie ot tak. Szczyt bezczelności. „Gdzie twój bilet?". „Nie mam". No nie wiem. – Pokręcił głową i wzruszył barkami. – Chodź zatem.

Chwycił w zęby latarkę i potruchtał w ciemność. Koralina ruszyła za nim. Dotarł w pobliże sceny i przystanął, oświetlając pusty fotel. Koralina usiadła. Pies odszedł w mrok.

Gdy jej oczy przywykły do ciemności, zorientowała się, że na widowni zasiadają same psy.

Nagle zza sceny dobiegł gwałtowny syk. Koralina uznała, że to zapewne stara podrapana płyta umieszczana na adapterze. Syk zastąpiła fanfara i na scenę wyszły panna Spink i panna Forcible.

Panna Spink jechała na jednokołowym rowerze, żonglowała piłeczkami. Panna Forcible biegła za nią, unosząc wysoko nogi. W rękach trzymała kosz kwiatów. Rozsypywała przed sobą płatki. Dotarły na skraj sceny. Tam panna Spink zeskoczyła zręcznie z rowerka i obie stare kobiety ukłoniły się nisko.

Wszystkie psy zaczęły klepać ogonami o podłogę i powarkiwać z entuzjazmem. Koralina nagrodziła występ uprzejmymi oklaskami.

A potem kobiety odpięły swe obszerne puchate płaszcze i je rozchyliły. Jednakże na płaszczach się nie skończyło: obie twarze także się otwarły, niczym puste powłoki, i ze starych pustych pulchnych ciał wynurzyły się dwie młode kobiety, szczupłe, blade i dość ładne. W ich twarzach tkwiły czarne oczy – guziki.

Nowa panna Spink miała zielone nogawice i wysokie brązowe buty, sięgające aż do ud. Nowa panna Forcible była ubrana w białą suknię; w długie żółte włosy wpięła kwiaty.

Koralina usadowiła się głębiej w fotelu.

Panna Spink zeszła ze sceny i głos fanfary urwał się z nagłym piskiem, gdy igła gramofonu przejechała po płycie.

– To mój ulubiony kawałek – szepnął siedzący obok piesek.

Druga panna Forcible wyjęła ze skrzynki w kącie sceny nóż.

– Czyliż to sztylet widzę przede mną? – spytała.

– Tak! – wykrzyknęły wszystkie pieski. – To sztylet!

Panna Forcible dygnęła i psy znów zaczęły hałasować. Tym razem Koralina nie zadała sobie nawet trudu, by klaskać.

Panna Spink wróciła na scenę. Klepnęła się w udo i pieski zaszczekały.

– A teraz – oznajmiła – wraz z Miriam chciałyśmy przedstawić nowy, fascynujący dodatek do naszego dramatycznego przedstawienia. Czy znajdzie się ochotnik?

Siedzący obok piesek szturchnął Koralinę przednią łapą.

– To ty – syknął.

Koralina wstała i po drewnianych stopniach wspięła się na scenę.

– Proszę o gorące oklaski dla naszej młodej ochotniczki – rzuciła panna Spink. Psy zaczęły szczekać, skomleć i tłuc ogonami w obszyte aksamitem siedzenia.

– A teraz, Koralino – zaczęła panna Spink – jak się nazywasz?

– Koralina – odparła Koralina.

– I wcale się nie znamy, prawda?

Koralina spojrzała na szczupłą młodą kobietę o oczach z czarnych guzików i powoli pokręciła głową.

– Teraz – ciągnęła druga panna Spink – stań o tu. – Zaprowadziła Koralinę do deski z boku sceny i położyła jej na głowie balon.

Panna Spink wróciła do panny Forcible. Przewiązała jej guzikowe oczy czarną chustką, w dłoń włożyła nóż. Potem obróciła ją dokoła trzy bądź cztery razy i ustawiła twarzą do Koraliny. Koralina wstrzymała oddech, mocno zaciskając piąstki.

Panna Forcible cisnęła nożem w balon, który pękł głośno. Nóż wbił się w deskę tuż nad głową Koraliny. Przez chwilę drżał z cichym dźwiękiem. Koralina wypuściła powietrze z płuc.

Psy oszalały.

Panna Spink wręczyła jej maleńką bombonierkę i podziękowała za odwagę. Koralina wróciła na miejsce.

– Byłaś bardzo dobra – pogratulował piesek.

– Dziękuję.

Panny Forcible i Spink zaczęły żonglować wielkimi drewnianymi pałkami. Koralina otworzyła bombonierkę. Pies spojrzał tęsknie na jej zawartość.

– Chciałbyś się poczęstować? – spytała.

– O tak, proszę – szepnął piesek. – Byle nie toffi, zawsze się po nich ślinię.

– Sądziłam, że czekoladki są niezdrowe dla psów. – Koralina przypomniała sobie coś, o czym kiedyś wspomniała panna Forcible.

– Może tam, skąd przybywasz – odszepnął piesek. – Tu żywimy się tylko nimi.

W ciemności Koralina nie potrafiła dostrzec gatunku czekoladek. Eksperymentalnie nadgryzła jedną. Okazało się, że to kokos. Nie lubiła kokosa, toteż oddała ją psu.

– Dziękuję – mruknął.

– Bardzo proszę – odparła.

Panny Forcible i Spink odgrywały jakąś scenę. Panna Forcible siedziała na drabinie, panna Spink stała poniżej.

– Czymże jest nazwa? – spytała panna Forcible. – To, co zowiem różą, pod inną nazwą równie by pachniało.

– Masz jeszcze czekoladki? – spytał piesek.

Koralina wręczyła mu następną.

– Nie mógłbym tobie powiedzieć, kto kim jestem – rzekła panna Spink do panny Forcible.

– Ten kawałek niedługo się skończy – szepnął piesek – potem zaczną tańce ludowe.

– Jak długo to trwa? – spytała Koralina. – Ta sztuka?

– Cały czas. Zawsze, wiecznie.

– Proszę – powiedziała Koralina. – Zatrzymaj czekoladki.

– Dziękuję – odparł pies. Koralina wstała.

– Do zobaczenia wkrótce – pożegnał ją.

– Pa – odparła. Wyszła z teatru i wróciła do ogrodu. Oślepiona dziennym światłem, długo mrugała.

Jej drudzy rodzice czekali razem w ogrodzie. Uśmiechali się.

– Dobrze się bawiłaś? – spytała druga matka.

– To było ciekawe – przyznała Koralina.

We trójkę wrócili do drugiego mieszkania Koraliny. Druga matka pogładziła ją po głowie długimi białymi palcami. Koralina potrząsnęła głową.

– Nie rób tego – rzuciła.

Druga matka cofnęła rękę.

– A zatem? – spytał drugi ojciec. – Podoba ci się tutaj?

– Chyba tak – rzekła Koralina. – Jest znacznie ciekawiej niż w domu.

Weszli do środka.

– Cieszę się, że ci się podoba – powiedziała matka Koraliny – bo chcielibyśmy, by to miejsce stało się twoim domem. Możesz tu zostać na wieki, na zawsze. Jeśli tylko chcesz.

– Hm. – Koralina wsunęła dłoń do kieszeni, zastanawiając się z powagą. Jej palce musnęły kamień, który dostała poprzedniego dnia od prawdziwych panien Spink i Forcible, ten z dziurką pośrodku.

– Jeśli chcesz zostać – oznajmił drugi ojciec – musimy zrobić tylko jedno. To drobiazg. Wówczas możesz pozostać tu na zawsze, na wieki.

Wrócili do kuchni. Na stole, na porcelanowym talerzu leżała szpulka czarnych bawełnianych nici i długa srebrna igła, a obok nich dwa wielkie czarne guziki.

– Raczej nie – powiedziała Koralina.

– Ale my tak bardzo chcemy – zaprotestowała druga matka. – Chcemy, żebyś została. To tylko drobiazg.

– Nie będzie bolało – dodał drugi ojciec.

Koralina wiedziała, że gdy dorośli mówią, że coś nie będzie bolało, to niemal zawsze boli. Pokręciła głową.

Jej druga matka uśmiechnęła się promiennie. Włosy na jej głowie zakołysały się niczym rośliny pod wodą.

– Chcemy tego, co dla ciebie najlepsze.

Położyła dłoń na ramieniu Koraliny. Koralina się cofnęła.

– Idę już – oświadczyła. Wsunęła ręce do kieszeni, jej palce zacisnęły się na kamieniu z dziurką pośrodku.

Ręka drugiej matki cofnęła się gwałtownie z ramienia Koraliny, niczym spłoszony pająk.

– Skoro tego pragniesz...

– Tak – potwierdziła Koralina.

– Mimo wszystko wkrótce się zobaczymy – powiedział jej drugi ojciec. – Kiedy wrócisz.

– Uhm – mruknęła Koralina.

– I będziemy jedną wielką szczęśliwą rodziną – dodała jej druga matka. – Na zawsze. Na wieki.

Koralina wycofała się, obróciła na pięcie i pospieszyła do salonu. Otworzyła drzwi w kącie. Ceglany mur zniknął – pozostała jedynie ciemność, głęboka czerń podziemi. Zdawało się, że poruszają się w niej jakieś stwory.

Koralina się zawahała. Odwróciła głowę. Druga matka i drugi ojciec szli ku niej, wyciągając ręce. Patrzyli na nią oczami z czarnych guzików, a przynajmniej tak jej się wydawało. Nie miała pewności.

Druga matka wyciągnęła rękę i łagodnie kiwnęła białym palcem. Jej białe wargi wymówiły: „wróć szybko", choć nie powiedziała tego głośno.

Koralina odetchnęła głęboko i weszła w ciemność, w której szeptały obce głosy i zawodziły odległe wiatry. Była pewna, że w mroku za jej plecami coś się kryje: coś bardzo starego i bardzo powolnego. Serce biło jej tak mocno i głośno, iż bała się, że za chwilę wyskoczy z piersi. Zamknęła oczy, chroniąc się przed mrokiem.

W końcu wpadła na coś i, zaskoczona, uniosła powieki. Zderzyła się z fotelem w swoim salonie.

W drzwiach za plecami ujrzała szorstkie czerwone cegły.

Była w domu.

V.

Koralina zamknęła drzwi w salonie zimnym czarnym kluczem.

Wróciła do kuchni i wdrapała się na krzesło. Próbowała odwiesić pęk kluczy z powrotem na framugę. Po czterech, pięciu próbach musiała zaakceptować fakt, że jest za niska, i odłożyła je na ladę obok drzwi.

Matka wciąż jeszcze nie wróciła z zakupów.

Koralina podeszła do zamrażarki, wyjęła zapasowy bochenek zamrożonego chleba, tkwiący w dolnej szufladzie, zrobiła sobie grzanki z dżemem i masłem fistaszkowym i wypiła szklankę wody.

Czekała na powrót rodziców.

Gdy zaczęło się ściemniać, odgrzała w mikrofalówce mrożoną pizzę.

Potem Koralina oglądała telewizję. Zastanawiała się, czemu dorośli przeznaczają dla siebie

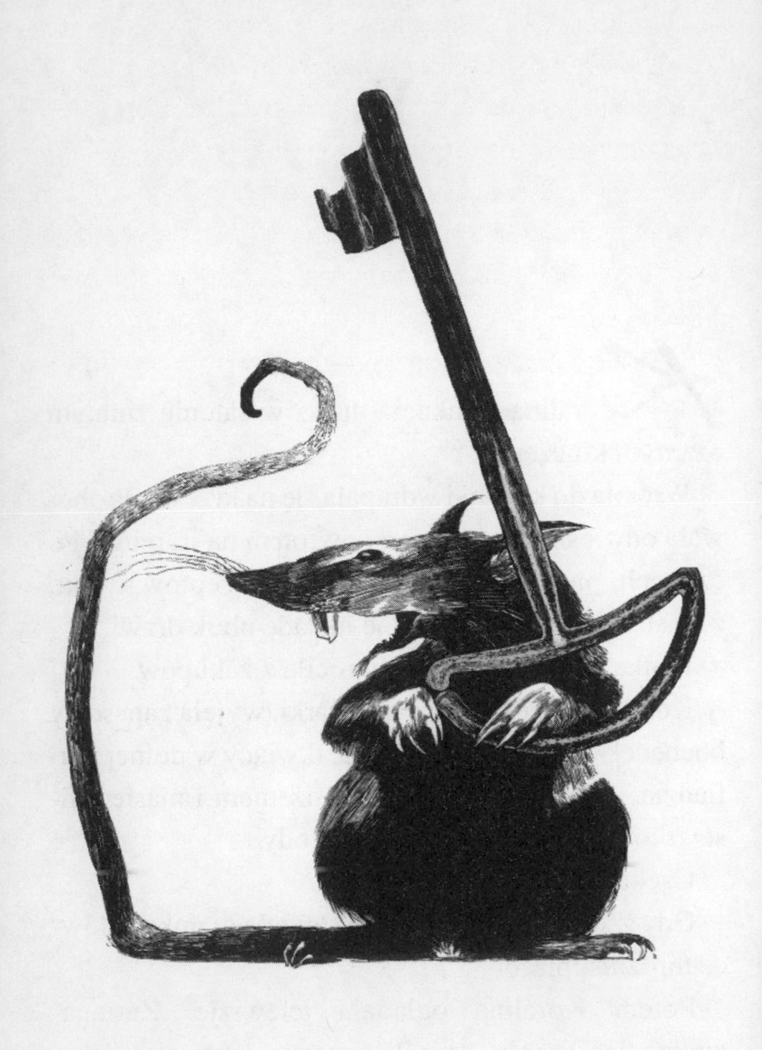

wszystkie najlepsze programy, pełne krzyków i bieganiny.

Po jakimś czasie ogarnęła ją senność. W końcu rozebrała się, umyła zęby i położyła się do łóżka.

Rano poszła do sypialni rodziców, lecz łóżko zastała nienaruszone, a ich samych nigdzie nie było. Na śniadanie zjadła spaghetti z puszki.

Na lunch miała blok czekolady do pieczenia i jabłko. Jabłko było żółte i lekko pomarszczone, ale smakowało słodko i pysznie.

Na podwieczorek poszła z wizytą do panien Spink i Forcible. Dostała trzy herbatniki z otrębami, szklankę lemoniady i filiżankę słabej herbaty. Lemoniada okazała się bardzo interesująca, zupełnie nie przypominała w smaku limonek, była zielona i nieco chemiczna. Koralina wypiła ją z ogromnym smakiem, żałując, że nie mają w domu czegoś takiego.

– Jak się miewają twoja droga mama i ojciec? – spytała panna Spink.

– Zaginęli – odparła Koralina. – Nie widziałam ich od wczoraj. Jestem sama. Chyba zostałam samotnym dzieckiem.

– Powiedz matce, że znalazłyśmy wycinki z Glasgow Empire, o których jej opowiadałyśmy. Gdy Miriam o nich wspomniała, wydawała się bardzo zainteresowana.

– Zniknęła w tajemniczych okolicznościach – oznajmiła Koralina. – I myślę, że mój ojciec także.

– Obawiam się, że jutro nie będzie nas cały dzień, Karolino, słonko – oświadczyła panna Forcible. – Zamierzamy przenocować u siostrzenicy April, w Royal Tunbridge Wells. – Pokazały Koralinie album ze zdjęciami, pełen fotografii siostrzenicy panny Spink. Potem Koralina wróciła do domu.

Otworzyła skarbonkę i powędrowała do supermarketu. Kupiła dwie duże butelki lemoniady, ciasto czekoladowe i nową torbę jabłek, po czym wróciła do domu, by zjeść je na kolację.

Umyła zęby, poszła do gabinetu ojca, włączyła komputer i napisała opowiadanie.

OPOWIADANIE KORALINY

BYŁA SOBIE DZIEWCZYNKA, NAZYWAŁA SIĘ JABŁKO. DUŻO TAŃCZYŁA. TAŃCZYŁA I TAŃCZYŁA, AŻ JEJ STOPY ZAMIENIŁY SIĘ W KIEUBASKI.

Wydrukowała opowiadanie i wyłączyła komputer. Potem tuż pod tekstem narysowała obrazek przedstawiający małą tańczącą dziewczynkę.

Przygotowała sobie kąpiel z dużą ilością płynu. Bąbelki przelały się przez krawędź i pokryły całą podłogę. Potem wytarła siebie i podłogę, jak umiała najlepiej, i poszła do łóżka.

Koralina obudziła się w środku nocy. Zajrzała do sypialni rodziców, lecz łóżko było wciąż zasłane i puste. Lśniące zielone cyfry na zegarze układały się w godzinę: 3.12.

Samotna w środku nocy Koralina zaczęła płakać. W pustym mieszkaniu był to jedyny słyszalny dźwięk.

Wskoczyła na łóżko rodziców i po jakimś czasie zasnęła.

* * *

Obudziły ją zimne łapki, uderzające w twarz. Uniosła powieki. Spoglądały na nią wielkie zielone oczy. Kot.

– Cześć – rzuciła Koralina. – Jak się tu dostałeś?

Kot nie odpowiedział. Koralina wstała. Miała na sobie długą koszulkę i spodnie od piżamy.

– Przyszedłeś mi coś powiedzieć?

Kot ziewnął, jego zielone oczy błysnęły.

– Wiesz, gdzie są mama i tato?

Kot mrugnął.

– To znaczy tak?

Kot ponownie zamrugał. Koralina uznała, że to rzeczywiście potwierdzenie.

– Zabierzesz mnie do nich?

Kot przyglądał się jej przez chwilę, potem ruszył na korytarz. Podążyła za nim. Na samym końcu, po drugiej stronie, zatrzymał się przed dużym lustrem. Kiedyś, dawno temu, stanowiło ono wewnętrzną część drzwi szafy. Wisiało już na ścianie, gdy się wprowadzili. I choć matka Koraliny od czasu do czasu wspominała, że warto by kupić nowe, jak dotąd tego nie zrobiła.

Koralina zapaliła światło.

W lustrze widziała korytarz za swymi plecami. Niczego innego nie oczekiwała. Odbijali się w nim jednak także jej rodzice. Stali zgarbieni w odbitym korytarzu. Wydawali się smutni i samotni. Koralina patrzyła bez słowa, a oni pomachali do niej wolno, z trudem unosząc ręce. Ojciec Koraliny obejmował ramieniem matkę.

W lustrze matka i ojciec Koraliny przyglądali się jej. Ojciec otworzył usta i coś powiedział, lecz niczego nie słyszała. Matka chuchnęła na wewnętrzną stronę zwierciadlanego szkła i szybko, nim mgiełka zniknęła, napisała czubkiem palca wskazującego:

MAИ ŻÒMOꟼ

Po chwili mgiełka na szkle zniknęła, podobnie jej rodzice. Teraz lustro odbijało tylko korytarz, Koralinę i kota.

– Gdzie oni są? – spytała Koralina.

Kot nie odpowiedział. Koralina jednak wyobraziła sobie jego głos, suchy niczym martwa mucha na zimowym parapecie, mówiący: „no a jak sądzisz?”.

– Oni tu nie wrócą, prawda? – zapytała. – Nie o własnych siłach.

Kot zamrugał. Koralina uznała to za potwierdzenie.

– Rozumiem – mruknęła. – Wygląda więc na to, że pozostało mi tylko jedno.

Poszła do gabinetu ojca, usiadła za biurkiem, potem podniosła słuchawkę, otworzyła książkę telefoniczną i zadzwoniła na miejscowy posterunek.

– Policja – usłyszała szorstki męski głos.

– Halo – odparła. – Nazywam się Koralina Jones.

– Czy nie powinnaś już spać, młoda damo? – spytał policjant.

– Możliwe – odparła Koralina, która nie zamierzała dać się zbić z pantałyku. – Ale dzwonię, żeby zgłosić przestępstwo.

– A jakie to przestępstwo?

– Porwanie, u-pro-wa-dze-nie. Moi rodzice zostali porwani do świata po drugiej stronie lustra w naszym korytarzu.

– Wiesz może, kto ich porwał? – spytał policjant.

Koralina usłyszała w jego głosie rozbawienie, toteż dołożyła wszelkich sił, by jej słowa zabrzmiały dorośle, by potraktował ją poważnie.

– Myślę, że wpadli w sidła mojej drugiej matki. Możliwe, że chce ich zatrzymać i przyszyć im oczy z czarnych guzików. Albo może po prostu uwięziła ich, aby z powrotem zwabić mnie w zasięg swych szponów. Nie jestem pewna.

– Ach tak. Złowieszcze sidła szatańskich szponów. Zgadza się? Coś pani zaproponuję, panno Jones.

– Co takiego? – spytała Koralina.

– Poproś, by mątka przyrządziła ci wielki kubek gorącej czekolady, a potem mocno cię przytuliła. Nic tak jak gorąca czekolada i uścisk nie pomaga na nocne koszmary. A gdyby chciała cię ukarać za to, że budzisz ją w środku nocy, powiedz po prostu, że kazał ci to zrobić policjant. – Jego głos był niski, dodający otuchy.

Ale nie Koralinie.

– Kiedy ją zobaczę – oznajmiła Koralina – to jej to opowiem.

Odwiesiła słuchawkę.

Czarny kot, który podczas całej rozmowy siedział na podłodze, myjąc futerko, teraz wstał i poprowadził ją na korytarz.

Koralina wróciła do swej sypialni, włożyła kapcie i niebieski szlafrok. Zajrzała pod umywalkę w poszukiwaniu latarki i znalazła ją, lecz baterie już dawno się wyczerpały i żaróweczka świeciła jedynie słabiutkim żółtym blaskiem. Koralina odłożyła latarkę, odszukała pudełko białych świec, przechowywanych na wszelki wypadek, i wepchnęła jedną z nich do świecznika. Do każdej kieszeni wsunęła jabłko. Podniosła kółko i zdjęła z niego stary czarny klucz.

Potem pomaszerowała do salonu. Spojrzała na drzwi. Miała wrażenie, że one także na nią patrzą. Doskonale zdawała sobie sprawę z tego, że to niemądre, lecz gdzieś w głębi wiedziała, że to również prawda.

Wróciła do sypialni, zaczęła grzebać w kieszeni dżinsów. Znalazła kamień z dziurką i wsadziła go do kieszonki szlafroka.

Zapałką zapaliła knot świecy. Patrzyła, jak płomyk rozpala się jasno. Wzięła czarny klucz, był bardzo zimny. Wsunęła go w dziurkę, ale nie przekręciła.

– Kiedy byłam mała – powiedziała, zwracając się do kota – gdy mieszkaliśmy jeszcze w naszym starym domu, dawno, dawno temu, tato zabrał mnie na spacer na pole między naszym domem i sklepami.

Prawdę mówiąc, nie było to najlepsze miejsce do spacerów. Wszędzie wokół leżały wyrzucone przez ludzi śmieci – stare kuchenki, potłuczone talerze, lalki bez rąk i nóg, puste puszki, kawałki butelek. Mama i tato kazali mi przyrzec, że nie będę urządzać tam wypraw badawczych, bo wkoło leżało zbyt wiele ostrych rzeczy. Mogłam złapać tężca czy coś takiego.

Ale ja cały czas powtarzałam, że chcę zbadać to miejsce. Więc pewnego dnia tato włożył wielkie brązowe kalosze i rękawiczki, ja też włożyłam kalosze, dżinsy i sweter, i poszliśmy na spacer.

Szliśmy jakieś dwadzieścia minut w dół zbocza, na dno kotlinki, którą płynął strumień, gdy nagle ojciec powiedział:

– Koralino, uciekaj na górę, ale już!

Powiedział to ostro, nagląco, więc posłuchałam. Pobiegłam na wzgórze. Gdy tak biegłam, nagle zabolała mnie ręka, ale się nie zatrzymałam.

Kiedy dotarłam na szczyt wzgórza, usłyszałam, że ktoś biegnie, tupiąc głośno, za mną. To był mój tato, rozpędzony niczym nosorożec. Gdy mnie dogonił, chwycił mnie na ręce i pociągnął na drugą stronę.

Potem zatrzymaliśmy się zdyszani i zajrzeliśmy do kotlinki.

W powietrzu roiło się od żółtych os. Musieliśmy przypadkiem nadepnąć na ukryte w spróchniałej gałęzi gniazdo. Podczas gdy ja wbiegałam na wzgórze, tato został na dole i dał się użądlić, żebym zdążyła uciec. W biegu zgubił okulary.

– Osa użądliła mnie tylko raz, w rękę. Tato miał w sobie trzydzieści dziewięć żądeł, policzyliśmy je później w łazience.

Czarny kot zaczął myć pyszczek i wąsy w sposób, który wskazywał na rosnące zniecierpliwienie. Koralina pochyliła się, pogłaskała go po głowie i karku. Kot wstał, przeszedł kilka kroków, póki nie znalazł się poza jej zasięgiem, potem usiadł i ponownie na nią spojrzał.

– A potem – podjęła opowieść – później tego samego popołudnia, tato wrócił na pole, żeby poszukać okularów. Powiedział, że gdyby odłożył to na następny dzień, zapomniałby, gdzie spadły.

Wkrótce wrócił do domu, w okularach. Mówił, że nie bał się, kiedy tam stał, a osy go żądliły; to bolało, i patrzył, jak uciekam, bo wiedział, że musi mi zapewnić dość czasu. Inaczej osy zaatakowałyby nas oboje.

Koralina przekręciła klucz w zamku. Usłyszała głośny szczęk.

Drzwi otwarły się wolno.

Po drugiej stronie nie było ceglanego muru, tylko ciemność. W przejściu wiał zimny wiatr.

Koralina nie zrobiła nawet kroku naprzód.

– Powiedział, że takie stanie i pozwalanie, by osy go żądliły, nie wymagało odwagi – oznajmiła, zwracając się do kota. – Nie było to odważne, bo on się nie bał. Nic innego nie mógł zrobić. Ale powrót po okulary, choć wiedział, że osy wciąż tam są, naprawdę go przeraził. To było odważne.

Postąpiła pierwszy krok w głąb ciemnego korytarza. W powietrzu czuła woń kurzu, wilgoci i pleśni.

Kot maszerował obok niej.

– A czemu? – spytał, choć wydawał się wyraźnie znudzony.

– Ponieważ – odparła – kiedy się boisz, ale i tak coś robisz, to to wymaga odwagi.

Świeca rzucała na ścianę wielkie, dziwne, roztańczone cienie.

Koralina usłyszała, jak coś porusza się w ciemności – obok niej czy może bardziej z boku, nie potrafiła orzec. Miała wrażenie, że to coś, czymkolwiek było, dotrzymuje jej kroku.

– I dlatego wracasz do jej świata? – spytał kot. – Bo ojciec uratował cię kiedyś przed osami?

– Nie bądź niemądry – odparła Koralina. – Wracam po nich, bo to moi rodzice. Gdyby zauważyli, że zniknęłam, z pewnością zrobiliby dla mnie to samo. Wiesz, że znów mówisz?

– Jakie to szczęście – rzekł kot – że mam towarzyszkę obdarzoną tak wielką spostrzegawczością i intelektem. – Wciąż przemawiał z sarkazmem, lecz jego futro zjeżyło się, wyprostowany ogon wyglądał jak szczotka.

Koralina zamierzała odpowiedzieć coś w stylu: „przepraszam" albo: „czy poprzednio droga nie wydawała ci się krótsza", gdy nagle świeca zgasła, jakby zakryła ją czyjaś ręka.

W mroku rozległo się drapanie i tupot. Koralina czuła, że serce tłucze jej się w piersi. Wyciągnęła rękę i poczuła, jak coś lekkiego, ulotnego niczym pajęcza sieć, muska jej ręce i twarz.

Na końcu korytarza zapłonęło elektryczne światło, oślepiające w ciemności. Tuż przed Koraliną stała kobieta: czarna sylwetka, otoczona blaskiem.

– Koralino, kochanie?! – zawołała.

– Mamo! – Koralina pobiegła naprzód, czując ogromną ulgę.

– Kochanie – powtórzyła kobieta. – Czemu ode mnie uciekłaś?

Koralina była zbyt blisko, by się zatrzymać. Poczuła, jak obejmują ją zimne ramiona drugiej matki. Stała tak sztywna i rozdygotana, podczas gdy druga matka obejmowała ją mocno.

– Gdzie są moi rodzice? – spytała Koralina.

– Jesteśmy tu – odparła druga matka głosem tak podobnym do tej prawdziwej, że Koralina prawie nie potrafiła go odróżnić. – Jesteśmy tutaj, gotowi cię kochać, bawić się z tobą, karmić i uprzyjemniać ci życie.

Koralina się cofnęła. Druga matka wypuściła ją niechętnie.

Drugi ojciec, który siedział na krześle w korytarzu, wstał i uśmiechnął się szeroko.

– Chodź do kuchni – rzekł. – Przyrządzę nam nocną przekąskę. Chcesz pewnie coś do picia, może gorącą czekoladę?

Koralina ruszyła w głąb korytarza. W końcu dotarła do wiszącego na jego końcu lustra. Teraz odbijało jedynie dziewczynkę w szlafroku i kapciach, która wyglądała, jakby niedawno płakała, lecz oczy miała prawdziwe, nie zrobione z czarnych guzików. W dłoni zaciskała świecznik z wypaloną świecą.

Koralina spojrzała na dziewczynkę w lustrze, dziewczynka w lustrze popatrzyła na nią.

Będę odważna – pomyślała Koralina. – Nie, ja jestem odważna.

Odstawiła świecznik na podłogę i odwróciła się. Druga matka i drugi ojciec obserwowali ją głodnym wzrokiem.

– Nie potrzebuję niczego – oznajmiła. – Mam jabłko, o, proszę.

Wyjęła jabłko z kieszeni szlafroka i wgryzła się w nie z zapałem i entuzjazmem, których w istocie nie czuła.

Drugi ojciec sprawiał wrażenie zawiedzionego. Druga matka uśmiechnęła się, ukazując komplet zębów. Każdy z nich był odrobinę za długi. Czarne oczy z guzików połyskiwały i migotały w świetle lamp.

– Nie boję się was – oświadczyła Koralina, choć w istocie bała się, i to bardzo. – Chcę odzyskać moich rodziców.

Miała wrażenie, że świat jakby zamigotał po brzegach.

– A cóż bym poczęła z twoimi dawnymi rodzicami? Jeśli cię opuścili, Koralino, to dlatego, że ich znudziałaś albo zmęczyłaś. Ja nigdy się tobą nie znudzę, nigdy cię nie porzucę. Zawsze będziesz przy mnie bezpieczna.

Mokre włosy drugiej matki unosiły się wokół jej głowy niczym macki mieszkańca morskich głębin.

– Wcale się mną nie znudzili – odparła Koralina. – Kłamiesz. Ty ich porwałaś.

– Moja głupiutka Koralino. Gdziekolwiek są, świetnie się bawią.

Koralina odpowiedziała gniewnym spojrzeniem.

– Udowodnię ci – dodała druga matka i koniuszkami długich białych palców musnęła powierzchnię zwierciadła. Lustro zamgliło się, jakby chuchnął na nie smok, a potem pojaśniało.

W lustrze był już dzień. Koralina patrzyła na korytarz wiodący do drzwi frontowych. Nagle drzwi otwarły się i do środka weszli rodzice Koraliny. W rękach nieśli walizki.

– Wspaniałe wakacje – powiedział ojciec Koraliny.

– Jak to miło nie mieć już Koraliny – dodała matka z radosnym uśmiechem. – Teraz możemy robić wszystko, na co mieliśmy ochotę, na przykład jeździć za granicę. Dotąd nie mogliśmy sobie na to pozwolić z powodu małej córki.

– A do tego – dodał jej ojciec – bardzo pociesza mnie myśl, że druga matka zajmie się nią lepiej, niż my zdołalibyśmy to zrobić.

Lustro zamgliło się, przygasło i znów zaczęło odbijać noc.

– Widzisz? – powiedziała druga matka.

– Nie – odrzekła Koralina. – Nie widzę i wcale w to nie wierzę.

Miała nadzieję, że to, co zobaczyła, nie jest prawdą. Nie była jednak tak pewna, jak można by sądzić. Gdzieś wewnątrz jej umysłu czaił się cień wątpliwości, niczym robak w ogryzku jabłka. A potem uniosła wzrok i ujrzała wyraz twarzy drugiej matki: grymas prawdziwego gniewu, który przebiegł po jej obliczu niczym letnia błyskawica. I Koralina w głębi serca poczuła pewność, że to, co ujrzała w lustrze, było jedynie złudzeniem.

Usiadła na kanapie i zjadła jabłko.

– Proszę – rzuciła druga matka – nie utrudniaj. – Weszła do salonu i dwukrotnie klasnęła w dłonie. Odpowiedział jej szelest i nagle na podłodze pojawił się czarny szczur. Patrzył na nią, unosząc głowę. – Przynieś mi klucz – poleciła.

Szczur pisnął i przebiegł przez otwarte drzwi wiodące do mieszkania Koraliny.

Po chwili wrócił, wlokąc za sobą klucz.

– Czemu po tej stronie nie macie własnego klucza? – spytała Koralina.

– Istnieje tylko jeden klucz, tylko jedne drzwi – wyjaśnił drugi ojciec.

– Csiiii – uciszyła go druga matka. – Nie zawracaj naszej drogiej Koralinie głowy takimi drobiazgami. – Wsunęła klucz do dziurki i przekręciła. Zamek zgrzytnął i zatrzasnął się ze szczękiem.

Druga matka włożyła klucz do kieszeni fartucha.

Na zewnątrz niebo zaczynało jaśnieć, czerń przechodziła w świetlistą szarość.

– Skoro nie chcemy niczego przekąsić – powiedziała druga matka – powinniśmy przespać się, tak dla zdrowia. Wracam do łóżka, Koralino, i sugeruję, żebyś uczyniła to samo.

Położyła długie białe palce na ramieniu drugiego ojca i wyprowadziła go z pokoju.

Koralina podeszła do drzwi w przeciwległym kącie salonu. Szarpnęła, były jednak zamknięte na klucz. Drzwi sypialni drugich rodziców także zostały zamknięte.

Czuła ogromne zmęczenie, nie chciała jednak spać w sypialni, nie chciała spać pod tym samym dachem, co druga matka.

Drzwi frontowe nie były zamknięte. Koralina wyszła na dwór, na skąpane w świetle świtu kamienne stopnie. Usiadła na najniższym. Było jej zimno.

Coś włochatego otarło się o jej bok jednym płynnym, sugestywnym ruchem. Koralina podskoczyła, po czym odetchnęła z ulgą, przekonawszy się, co to.

– Ach, to ty – rzekła do czarnego kota.

– Widzisz – powiedział kot. – Nietrudno mnie rozpoznać, prawda? Choć nie mam imienia.

– A gdybym chciała cię zawołać?

Kot zmarszczył nos, przybierając wyniosłą minę.

– Wołanie kotów – odparł, jakby zdradzał jej wielką tajemnicę – to zwykle niezbyt produktywna czynność. Równie dobrze można by przyzywać trąbę powietrzną.

– A gdyby chodziło o obiad? – spytała Koralina. – Czy wtedy nie chciałbyś, żebym cię zawołała?

– Oczywiście – powiedział kot. – W zupełności jednak wystarczyłby krótki okrzyk „obiad”. Widzisz? Wcale nie potrzeba imion.

– Czego ona chce ode mnie? Dlaczego chce, żebym z nią została?

– Przypuszczam, że pragnie czegoś, co mogłaby kochać – wyjaśnił kot. – Czegoś poza nią samą. Może też chciałaby coś do jedzenia. Trudno orzec, gdy ma się do czynienia z podobnymi istotami.

– Mógłbyś mi coś poradzić? – poprosiła Koralina.

Przez moment kot sprawiał wrażenie, jakby zamierzał powiedzieć coś sarkastycznego. Potem poruszył wąsami.

– Rzuć jej wyzwanie. Nie ma gwarancji, że będzie grać uczciwie, ale takie stwory uwielbiają gry i wyzwania.

– To znaczy, jakie stwory? – wtrąciła Koralina.

Kot nie odpowiedział, jedynie przeciągnął się rozkosznie i odszedł. Po chwili zatrzymał się, odwrócił i rzekł:

– Na twoim miejscu wróciłbym do środka, przespałbym się. Czeka cię długi dzień.

A potem kot zniknął. Koralina jednak uświadomiła sobie, że miał rację. Zakradła się cicho do milczącego mieszkania, mijając zamknięte drzwi sypialni, w której jej druga matka i drugi ojciec... co właściwie robili, zastanowiła się. Spali? Czekali? A potem przyszła jej do głowy myśl, że gdyby otworzyła drzwi sypialni, ujrzałaby za nimi pusty pokój. Czy też, dokładniej rzecz biorąc, pokój jest pusty i pozostanie pusty do chwili, gdy nie otworzy drzwi.

W jakiś sposób ta myśl dodała jej otuchy. Koralina weszła do zielono-różowej parodii własnej sypialni. Zamknęła drzwi i podciągnęła pod nie skrzynię z zabawkami – nie zatrzymałaby intruza, lecz miała nadzieję, że hałas, jakiego narobiłby ktoś usiłujący pokonać przeszkodę, wystarczyłby, żeby ją obudzić.

Zabawki w skrzynce wciąż jeszcze spały, poruszały się i mamrotały, gdy przesuwała pudło. Potem znów zapadły w głęboki sen. Koralina zajrzała pod łóżko w poszukiwaniu szczurów, niczego jednak nie dostrzegła. Zdjęła szlafrok i kapcie, położyła się i błyskawicznie zasnęła. Zdążyła jedynie zastanowić się przelotnie, co właściwie miał na myśli kot, mówiąc „wyzwanie”.

VI.

Obudziły ją promienie słońca, padające prosto na twarz.

Przez moment Koralina czuła się całkowicie zagubiona. Nie wiedziała, gdzie jest, nie była nawet pewna, kim jest. Zdumiewające, jak wiele z tego, czym jesteśmy, łączy się z łóżkami, w których budzimy się rankiem. I jak niezwykle krucha jest ta świadomość.

Czasami, gdy Koralina marzyła, że bada Arktykę, puszczę Amazonki czy najczarniejszą Afrykę, zdarzało jej się zapomnieć, kim jest. Dopiero gdy ktoś potrząsnął nią bądź wymówił jej imię, powracała z odległości miliona mil i w ułamku sekundy musiała sobie przypomnieć, kim jest, jak się nazywa i co to za miejsce.

Teraz w twarz świeciło jej słońce. Była Koraliną Jones. O, tak. A potem zielenie i róże pokoju, w którym przebywała, i szelest dużego, malowanego, papierowego motyla, który, trzepocząc skrzydełkami, krążył pod sufitem, powiedziały jej, gdzie się ocknęła.

Wyskoczyła z łóżka. Uznała, że jest dzień, toteż nie może włożyć szlafroka, piżamy i kapci, nawet jeśli oznacza to przywdzianie ubrań drugiej Koraliny.

Czy w ogóle istniała druga Koralina? Nie, niemożliwe, była tylko ona. W szafie jednak nie znalazła zwykłych ubrań, jedynie bardzo strojne, albo (tak przynajmniej pomyślała) takie, które z radością ujrzałaby w swej własnej szafie: obszarpany kostium czarownicy, połatany kostium stracha na wróble, kostium wojowniczki przyszłości, ozdobiony cyfrowymi światełkami, które migotały i mrugały rytmicznie, wąską sukienkę wieczorową, obszytą piórami i lusterkami. W końcu w szufladzie natrafiła na parę czarnych dżinsów, które wyglądały jak uszyte z aksamitnej nocy, i szarfy sweter barwy gęstego dymu. W jego materię wpleciono słabe, maleńkie, migoczące gwiazdy.

Naciągnęła dżinsy i sweter. Potem włożyła parę jaskraworóżowych wysokich butów, które znalazła w szafie.

Z kieszeni szlafroka wyjęła ostatnie jabłko. Z tej samej kieszeni wyłowiła kamień z dziurką pośrodku.

Wsunęła go do kieszonki dżinsów i w tym momencie przejaśniło się jej w głowie, jak gdyby wynurzyła się z dziwnej mgły.

Poszła do kuchni, ale nikogo nie zastała.

Była jednak pewna, że ktoś przebywa w mieszkaniu. Pomaszerowała korytarzem do gabinetu ojca i odkryła, że ktoś w nim jest.

– Gdzie druga matka? – spytała drugiego ojca. Siedział za biurkiem, dokładnie takim jak biurko jej ojca, ale niczego nie robił. Nawet nie czytał katalogów ogrodniczych, jak ojciec, gdy jedynie udawał, że pracuje.

– Wyszła – odparł. – Naprawia drzwi, mamy problemy ze szkodnikami. – Wyglądał na zadowolonego, że ma z kim pomówić.

– Chodzi o szczury?

– Nie, szczury to nasi przyjaciele. Inne zwierzę. Duże, czarne, z wysoko uniesionym ogonem.

– Chodzi ci o kota?

– No właśnie – przytaknął drugi ojciec. Dziś mniej przypominał prawdziwego ojca Koraliny. Jego twarz wydawała się jakby rozmyta – niczym ciasto chlebowe, które zaczyna rosnąć, z wygładzającymi się wzniesieniami, szczelinami i szparami.

– Naprawdę nie powinienem z tobą rozmawiać, gdy jej tu nie ma – dodał. – Ale nie przejmuj się, nieczęsto wychodzi. Teraz zachwycę cię naszą wspaniałą gościnnością, tak, byś nigdy nie chciała odejść.

Zamknął usta i splótł dłonie na kolanach.

– Co mam teraz robić? – spytała Koralina.

Drugi ojciec wskazał palcem usta. Cisza.

– Skoro nie chcesz nawet ze mną porozmawiać – oznajmiła Koralina – ruszam na badania.

– Nie ma sensu – odparł drugi ojciec. – Tu nie ma niczego poza tym miejscem. Tylko je stworzyła. Dom, ogród i ludzi w domu. Stworzyła je i czekała.

Z zawstydzoną miną przycisnął palec do ust, jakby i tak za dużo powiedział.

Koralina wyszła z gabinetu. Wróciła do salonu, podeszła do starych drzwi i szarpnęła nimi mocno. Niestety, były starannie zamknięte, a druga matka miała klucz.

Koralina rozejrzała się po pokoju. Był bardzo znajomy i przez to właśnie czuła się tu naprawdę dziwnie. Wszystko było dokładnie takie, jak zapamiętała: dziwacznie pachnące meble babki, obraz na ścianie przedstawiający misę z owocami (kiść winogron, dwie śliwki, brzoskwinia, jabłko), niski drewniany stół na lwich łapach i pusty kominek, który zdawał się wysysać ciepło z całego salonu.

Dostrzegła jednak coś jeszcze. Coś, czego nigdy wcześniej nie widziała. Szklaną kulę na kominku.

Podeszła bliżej, wspięła się na palce i podniosła kulę. W środku znajdowały się dwie małe figurki ludzi. Koralina potrząsnęła kulą; śnieżne płatki zawirowały, połyskując i tańcząc w wodzie.

Potem odstawiła kulę śnieżną na kominek i podjęła poszukiwania prawdziwych rodziców i drogi powrotnej.

Wyszła z mieszkania, mijając pobłyskujące światełkami drzwi, za którymi druga panna Spink i druga panna Forcible stale odgrywały przedstawienie, i skierowała się w stronę drzew.

Tam, skąd przybyła Koralina, za niewielkim zagajnikiem rozciągała się łąka i stary kort tenisowy. W tym miejscu las ciągnął się dalej, a drzewa stopniowo stawały się coraz mniej wyraźne i podobne do drzew.

Wkrótce były już jedynie przybliżeniem, samą ideą drzew: szarobrązowe pnie w dole, zielone plamy czegoś, co mogło być liśćmi, w górze.

Koralina zastanawiała się, czy drugiej matki w ogóle nie interesują drzewa, czy też po prostu nie zawracała sobie nimi głowy, bo nie sądziła, by ktokolwiek dotarł tak daleko.

Szła dalej.

I wtedy pojawiła się mgła.

Nie była wilgotna, jak zwykła mgła czy mgiełka, ani zimna, ani ciepła. Koralina miała wrażenie, jakby weszła w nicość.

Jestem badaczką – pomyślała Koralina – i muszę poznać wszystkie możliwe drogi ucieczki. Będę więc szła dalej.

Świat, w którym wędrowała, pochłonęła jasna nicość. Przypominał pustą kartkę papieru bądź olbrzymią, pustą, białą salę. Brakowało mu temperatury, zapachu, dotyku, smaku.

To z pewnością nie mgła – pomyślała Koralina, choć nie wiedziała, co ją otacza. Przez moment zastanawiała się, czy przypadkiem nie oślepła. Ale nie, samą siebie widziała bardzo wyraźnie, lecz pod stopami nie miała ziemi, jedynie mglistą, mleczną biel.

– Co ty właściwie wyprawiasz? – spytał jakiś kształt obok niej.

Minęło kilka chwil, nim jej oczy dostrzegły go wyraźnie. Z początku sądziła, że to stojący daleko lew. Potem, że, raczej bardzo blisko, mysz. W końcu zrozumiała, kogo widzi.

– Badam – poinformowała kota.

Kot miał zjeżone futro i szeroko otwarte oczy. Skulony ogon ukrył między nogami. Nie wyglądał na szczęśliwego.

– To złe miejsce – oznajmił. – Jeśli w ogóle można je nazwać miejscem. Ja bym go tak nie określił. Co tu robisz?

– Zwiedzam.

– Tu niczego nie znajdziesz. To tylko zewnętrze, to czego nie chciało jej się stworzyć.

– Jej?

– Tej, która twierdzi, że jest twoją drugą matką – wyjaśnił kot.

– Czym ona jest? – spytała Koralina.

Kot nie odpowiedział. Po prostu biegł swobodnie w jasnej mgle u jej boku.

Przed sobą ujrzeli niewyraźną plamę, coś wysokiego i bardzo ciemnego.

– Myliłeś się – poinformowała kota. – Coś jednak tu jest.

A potem plama we mgle nabrała kształtu: ciemny dom, wyrastający z bezkształtnej bieli.

– Ale to przecież... – zaczęła Koralina.

– Dom, z którego przed chwilą wyszłaś – przytaknął kot. – Właśnie.

– Może po prostu zawróciłam we mgle?

Kot wygiął czubek ogona tak, że przypominał znak zapytania, i przechylił głowę.

– Ty może tak – rzekł – ale ja z całą pewnością nie. Zgubiłem się, akurat.

– Ale jak można odejść od czegoś i jednocześnie do tego wrócić?

– Z łatwością – wyjaśnił kot. – Wyobraź sobie kogoś okrążającego świat. Zaczynasz odchodzić od jednego miejsca i w końcu do niego wracasz.

– Mały świat – zauważyła Koralina

– Dla niej jest dość duży – odparł kot. – Sieć pajęcza nie musi być wielka, wystarczy, by łapała muchy.

Koralina zadrżała.

– Powiedział, że ona naprawia wszystkie okna i drzwi – poinformowała kota. – Żebyś nie mógł wejść.

– Może próbować – odparł obojętnie kot. – O tak, może próbować. – Stali pod kępą drzew obok domu. Drzewa wyglądały tu znacznie normalniej. – W podobnych miejscach są wejścia i wyjścia, o których nawet ona nie ma pojęcia.

– Czy to ona stworzyła to miejsce? – zapytała Koralina.

– Stworzyła, znalazła, co za różnica – prychnął kot. – Tak czy inaczej włada nim bardzo, bardzo długo. Chwileczkę. – Naprężył się, skoczył i nim Koralina zdążyła mrugnąć okiem, kot siedział już na ziemi, trzymając łapą wielkiego czarnego szczura. – Nie, żebym generalnie lubił szczury – podjął kot swobodnym tonem, jakby nic się nie wydarzyło. – Lecz szczury w tym miejscu to jej szpiedzy. Służą jej jako oczy i ręce. – To rzekłszy, kot wypuścił zdobycz.

Szczur przebiegł kilka metrów, a potem kot jednym długim skokiem dopadł go i zaczął uderzać mocno łapką o ostrych pazurach. Drugą przytrzymywał zwierzaka.

– Tę część łowów uwielbiam najbardziej – mruknął radośnie. – Chcesz jeszcze raz zobaczyć, jak to robię?

– Nie – odparła Koralina. – Czemu to robisz? Znęcasz się nad nim.

– Mhm. – Kot wypuścił szczura.

Szczur, oszołomiony, potykając się, pokonał kilka kroków, potem zaczął biec. Kot uderzeniem łapy wyrzucił go w powietrze i chwycił zębami.

– Przestań! – zawołała Koralina.

Kot upuścił szczura pomiędzy przednie łapki.

– Są tacy – rzekł z westchnieniem głosem gładkim niczym naoliwiony jedwab – którzy twierdzą, iż kocia skłonność do zabaw z ofiarami to w istocie objaw łaski: ostatecznie pozwala od czasu do czasu jednej z żywych przekąsek uciec. Jak często pozwalasz uciec swojemu obiadowi?

Potem chwycił w zęby szczura i poniósł go w głąb lasu, za drzewo.

Koralina wróciła do domu.

W mieszkaniu panowała cisza i pustka. Nawet jej kroki na dywanie stawały się ogłuszająco głośne. W promieniu słońca tańczyły drobinki kurzu.

Po drugiej stronie korytarza wisiało lustro. Widziała siebie, idącą w jego stronę. Jej odbicie zdawało się odważniejsze niż ona sama. Poza nią w lustrze nie było nikogo. Tylko ona i korytarz.

Czyjaś dłoń dotknęła jej ramienia. Koralina uniosła wzrok. Z góry spoglądały na nią oczy drugiej matki – wielkie czarne guziki.

– Koralino, moja droga – powiedziała druga matka. – Pomyślałam, że skoro już wróciłaś ze spaceru, to możemy razem w coś zagrać. Może w chińczyka, szczęśliwą rodzinę, monopol?

– Nie było cię w lustrze – mruknęła Koralina.

Druga matka uśmiechnęła się.

– Lustrom – powiedziała – nie należy ufać. W co zatem zagramy?

Koralina pokręciła głową.

– Nie chcę z tobą grać – oświadczyła. – Chcę wrócić do domu i być z moimi prawdziwymi rodzicami. Chcę, żebyś ich wypuściła. Wypuściła nas wszystkich.

Druga matka bardzo powoli pokręciła głową.

– Nic tak nie boli, jak niewdzięczność córki. Jednakże nawet największą dumę można złamać miłością.

Jej długie białe palce poruszały się i gładziły powietrze.

– Nie mam zamiaru cię kochać – odparła Koralina. – Nieważne, co by się stało. Nie możesz mnie zmusić, bym cię pokochała.

– Porozmawiajmy o tym – zaproponowała druga matka. Zawróciła na pięcie i powędrowała do dużego pokoju. Koralina podążyła jej śladem.

Druga matka usiadła na wielkiej kanapie. Podniosła z podłogi torbę z zakupami i wyjęła białą szeleszczącą papierową torebkę.

Wyciągnęła ją w stronę Koraliny.

– Poczęstujesz się? – spytała.

Spodziewając się toffi bądź krówek, Koralina zajrzała do środka. Torbę do połowy wypełniały wielkie lśniące żuki, pełzające po sobie i próbujące się wydostać.

– Nie, nie chcę – odparła Koralina.

– Jak wolisz – mruknęła druga matka. Starannie wybrała wyjątkowo dużego i czarnego żuka, oderwała mu nóżki (które wrzuciła do dużej szklanej popielniczki na stoliku obok kanapy) i wsunęła żuka do ust. Schrupała go z uśmiechem.

– Mniam – mruknęła i wzięła następnego.

– Jesteś nienormalna – oznajmiła Koralina. – Nienormalna, zła i dziwaczna.

– Czy tak mówi się do własnej matki? – spytała druga matka, chrupiąc żuki.

– Nie jesteś moją matką – odparła Koralina.

Druga matka puściła te słowa mimo uszu.

– Jesteś po prostu troszkę podekscytowana, Koralino. Może dziś po południu powyszywamy razem albo namalujemy akwarelę? Potem kolacja, a potem, jeśli będziesz grzeczna, przed snem będziesz mogła pobawić się ze szczurami. A ja przeczytam ci bajkę, opatulę kołdrą i pocałuję na dobranoc.

Jej długie białe palce trzepotały lekko niczym zmęczony motyl. Koralina zadrżała.

– Nie – rzekła.

Druga matka nadal siedziała na kanapie. Zaciskała wargi tak, że tworzyły cienką linię. Wsunęła do ust kolejnego żuka i jeszcze jednego, jakby to były rodzynki w czekoladzie. Jej oczy z czarnych guzików spoglądały w orzechowe oczy Koraliny. Lśniące czarne włosy kołysały się i okręcały wokół szyi i ramion, jak poruszane wiatrem, którego Koralina nie czuła.

Przez minutę przyglądały się sobie nawzajem. W końcu druga matka rzuciła:

– Maniery!

Starannie złożyła papierową torbę, tak by nie pozwolić żukom uciec, i wsadziła ją z powrotem do siatki. Potem wstała, unosząc się coraz wyżej i wyżej; wydawała się wyższa, niż Koralina pamiętała. Druga matka sięgnęła do kieszeni fartucha i wyciągnęła najpierw czarny klucz do drzwi – na jego widok zmarszczyła brwi i wrzuciła go do torby – a potem mały srebrny kluczyk. Uniosła go zwycięskim gestem.

– No proszę – powiedziała – to dla ciebie, Koralino, dla twojego własnego dobra. Ponieważ cię kocham, muszę zadbać o twoje maniery. To one tworzą człowieka.

Pociągnęła Koralinę z powrotem na korytarz i pomaszerowała w stronę lustra. A potem wepchnęła kluczyk w samą materię szkła i przekręciła.

Zwierciadło otwarło się niczym drzwi, ukazując ciemną pustą przestrzeń.

– Możesz wyjść, kiedy nauczysz się dobrze zachowywać – oznajmiła druga matka. – I kiedy będziesz gotowa stać się kochającą córką.

Podniosła Koralinę i wepchnęła ją do mrocznej dziury za lustrem. Do jej dolnej wargi przylepił się kawałek żuka, oczy z czarnych guzików były całkowicie pozbawione wyrazu.

Lustrzane drzwi zatrzasnęły się i Koralina pozostała w ciemności.

VII.

Gdzieś w swym wnętrzu Koralina czuła narastającą falę płaczu. Zdołała ją zatrzymać, nim ta się wydostała. Odetchnęła głęboko, wypuszczając wolno powietrze.

Wyciągnęła ręce, aby zbadać pomieszczenie, w którym ją uwięziono. Miało wielkość schowka na szczotki: dostatecznie wysokie, by móc w nim stać bądź siedzieć, ale nie dość szerokie czy głębokie, by się położyć.

Jedną ścianę miało ze szkła. Czuła pod palcami zimną taflę.

Po raz drugi okrążyła maleńkie pomieszczenie, przesuwając dłońmi po wszystkich dostępnych powierzchniach w poszukiwaniu klamek, przełączników, ukrytych haczyków, jakiegoś wyjścia. Niczego jednak nie znalazła.

Po grzbiecie dłoni przebiegł jej pająk. Koralina z trudem zdusiła krzyk. Poza tym jednak była sama w ciemnej, mrocznej szafie.

Nagle jej dłoń dotknęła czegoś, co zupełnie przypominało w dotyku czyjś policzek i usta, małe i zimne. W uchu usłyszała szept.

– Ćśś, cichutko, nic nie mów, bo wiedźma może podsłuchiwać.

Koralina posłusznie milczała.

Zimna dłoń dotknęła jej twarzy, palce musnęły ją niczym delikatne skrzydełko ćmy.

Usłyszała kolejny głos, pełen wahania i tak słaby, że Koralina zastanawiała się, czy przypadkiem go sobie nie wymyśliła:

– Czy ty? Czyliż ty żyjesz?

– Tak – odszepnęła Koralina.

– Biedne dziecko – mruknął pierwszy głos.

– Kim jesteście? – zapytała szeptem Koralina.

– Imiona, imiona, imiona – odparł inny głos, zagubiony i zabłąkany. – Imiona tracimy jako pierwsze, tuż po utracie oddechu i bicia serca. Trochę dłużej pozostają nam wspomnienia. W umyśle wciąż przechowuję obraz mojej guwernantki, niosącej w pewien majowy ranek kółko i kijek. Za jej plecami świeciło poranne słońce, tulipany kołysały się w powiewach wiatru. Nie pamiętam już jednak imienia guwernantki ani imion tulipanów.

– Wątpię, by tulipany miały imiona – zauważyła Koralina. – To tylko kwiaty.

– Może – przyznał ze smutkiem głos. – Ale mnie zawsze się zdawało, że tulipany muszą mieć swoje imiona. Były czerwone, pomarańczowe, czerwono-pomarańczowe, pomarańczowo-czerwone i żółte jak żar na kominku w pokoju dziecięcym w mroźny zimowy wieczór. Pamiętam je.

W głosie dźwięczał taki smutek, że Koralina wyciągnęła rękę, sięgając w miejsce, z którego dobiegał. Odnalazła zimną dłoń i uścisnęła ją mocno.

Jej wzrok zaczynał przywykać do ciemności. Teraz Koralina dostrzegała już, czy też wyobrażała sobie, że dostrzega, trzy postaci, słabe i niewyraźne jak księżyc na dziennym niebie. Miały kształt dzieci, mniej więcej jej wzrostu. Zimna dłoń ścisnęła jej palce.

– Dziękuję – rzekł głos.

– Jesteś dziewczynką – spytała Koralina – czy chłopcem?

Chwila ciszy.

– W dzieciństwie ubierano mnie w spódnice i trefiono w loki długie włosy – rzekł z powątpiewaniem głos. – Teraz jednak, gdy pytasz, odnoszę wrażenie, że pewnego dnia zabrali mi spódnicę i wręczyli pantalony, a także obcięli włosy.

– Nie jest to coś, na co zwracalibyśmy uwagę – dodał pierwszy z głosów.

– Może zatem byłem chłopcem – ciągnął ten, którego dłoń Koralina trzymała. – Chyba rzeczywiście byłem kiedyś chłopcem – i jedna z postaci zajaśniała nieco mocniej w mroku pokoju za lustrem.

– Co się z wami stało? – spytała Koralina. – Jak się tu znaleźliście?

– Ona nas tu zostawiła – odparł jeden z głosów. – Skradła nam serca i dusze, odebrała nam życie i pozostawiła tutaj. A potem o nas zapomniała.

– Biedactwa – powiedziała z westchnieniem Koralina. – Jak długo tu jesteście?

– Bardzo, bardzo długo – odparł głos.

– O tak, tak, dalej niż sięgamy pamięcią – przytaknął drugi głos.

– Przeszedłem przez drzwi zmywalni – oznajmił głos tego, który sądził, że być może był chłopcem – i znalazłem się z powrotem w salonie. Ale ona czekała tam na mnie. Powiedziała, że jest moją drugą mamą. Nigdy więcej nie ujrzałem prawdziwej mamy.

– Uciekaj – rzucił pierwszy z głosów; Koralinie zdawało się, że należy do dziewczynki. – Uciekaj, póki masz jeszcze powietrze w płucach, krew w żyłach i ciepło w sercu. Uciekaj, póki masz umysł i duszę.

– Nie zamierzam uciekać – oznajmiła Koralina. – Ona ma moich rodziców. Przybyłam tu po nich.

– Ale ona zatrzyma cię tutaj, twoje dni zamienią się w pył, liście opadną, a lata będą przechodzić jedno w drugie niczym tykanie zegara: tyk-tyk-tyk.

– Nie – nie zgodziła się Koralina. – Nie dojdzie do tego.

W pokoju za lustrem zapadła cisza.

– Może więc – odezwał się głos w ciemności – jeśli zdołasz odebrać wiedźmie swoją mamę i papę, mogłabyś także uwolnić nasze dusze?

– A ona je zabrała? – zapytała wstrząśnięta Koralina.

– O, tak i ukryła.

– To dlatego nie mogliśmy odejść, gdy umarliśmy. Zatrzymała nas tutaj, karmiła się nami, aż w końcu staliśmy się jedynie cieniami, pustymi skórkami węży czy pająków. Odnajdź nasze ukryte serca, młoda pani.

– A jeżeli mi się uda, co się z wami stanie?

Głosy nie odpowiedziały.

– I co zrobi ze mną? – dodała.

Jasne świetliste sylwetki zapulsowały słabo. Przypominały zwykłe powidoki, blask pozostawiany w oku przez jaskrawy rozbłysk, gdy ten już zgaśnie.

– To nie boli – szepnął jeden głos.

– Odbierze ci życie, wszystko, czym jesteś, na czym ci zależy, pozostawiając jedynie mgłę, dym. Odbierze ci radość. Pewnego dnia obudzisz się i odkryjesz, że nie masz już serca ani duszy. Pozostanie tylko skorupa, ulotna zjawa, nie więcej niż sen na jawie. Wspomnienie czegoś, o czym się zapomniało.

– Pusta – wyszeptał trzeci głos. – Pusta, pusta, pusta, pusta, pusta.

– Musisz uciekać. – Jeden z nich westchnął słabo.

– Raczej nie – odparła Koralina. – Próbowałam już uciec. Nic to nie dało. Po prostu zabrała moich rodziców. Możecie mi powiedzieć, jak się wydostać z tego pokoju?

– Gdybyśmy wiedzieli, powiedzielibyśmy.

– Biedactwa – mruknęła do siebie Koralina.

Usiadła, zdjęła sweter, zrolowała i wsunęła pod głowę niczym poduszkę.

– Nie będzie trzymała mnie wiecznie w ciemności – powiedziała głośno. – Sprowadziła mnie tu, żeby grać. Gry i wyzwania. Tak powiedział kot. Tu, w mroku, nie stanowię wyzwania.

Próbowała ułożyć się wygodnie, przekręcając się i kuląc, tak by najlepiej wykorzystać ciasne miejsce za lustrem.

Zaburczało jej w brzuchu. Zjadła ostatnie jabłko, odgryzając maleńkie kęsy, by wystarczyło na dłużej. Gdy skończyła, nadal była głodna.

Nagle coś przyszło jej do głowy.

– Kiedy przyjdzie mnie wypuścić – szepnęła – może po prostu pójdziecie ze mną?

– Bardzo byśmy chcieli – odpowiedzieli ledwie słyszalnymi głosami. – Ona jednak ukrywa nasze serca. Teraz nasze miejsce to ciemność i pustka; w świetle sczeźlibyśmy i spłonęli.

– Ach tak.

Koralina zamknęła oczy. Ciemność natychmiast stała się jeszcze ciemniejsza. Koralina oparła głowę na zwiniętym swetrze i zasnęła. Zasypiając, miała wrażenie, że jakiś duch całuje ją czule w policzek. Cichutki głos szepnął jej do ucha, tak cicho, że nie wiedziała, czy go sobie nie wyobraziła, łagodny cień głosu, którego być może w ogóle tam nie było:

– Patrz przez kamień.

Potem zasnęła.

VIII.

Druga matka wyglądała zdrowiej niż poprzednio: jej policzki zarumieniły się lekko, włosy wiły się ospale niczym rozleniwione węże w ciepły dzień. Oczy z czarnych guzików sprawiały wrażenie świeżo wypolerowanych.

Przeszła przez zwierciadło, jakby przeciskała się przez coś o konsystencji wody, i spojrzała z góry na Koralinę. Potem małym srebrnym kluczykiem otworzyła lustro. Podniosła Koralinę, tak jak robiła to jej prawdziwa matka, gdy Koralina była znacznie młodsza, i przytuliła do siebie rozespane dziecko, tuląc je w ramionach.

Druga matka zaniosła Koralinę do kuchni i delikatnie posadziła na blacie.

Koralina walczyła z przemożną sennością. W tej chwili zdawała sobie sprawę tylko z tego, że ktoś ją tuli i kocha, i pragnęła więcej. Nagle uświadomiła sobie, gdzie jest, i, co ważniejsze, z kim.

– Proszę, moja słodka Koralino – powiedziała druga matka. – Osobiście przyniosłam cię z szafy. Musiałaś dostać nauczkę. Jednakże prócz surowej sprawiedliwości znamy tu także litość. Kochamy grzesznika, nienawidzimy grzechu. Jeśli tylko będziesz grzecznym dzieckiem, kochającą matkę córką, posłuszną i uprzejmą, doskonale się zrozumiemy i będziemy się wiecznie kochać.

Koralina przetarła zaspane oczy.

– Tam były inne dzieci – powiedziała. – Bardzo stare, z dawnych czasów.

– Czyżby? – spytała druga matka. Krzątała się wśród garnków i przy lodówce, wyciągając z niej kolejno jajka i sery, masło oraz plaster różowiutkiej wędzonki.

– Tak – odparła Koralina. – Były tam. Myślę, że zamierzasz zamienić mnie w jedno z nich. Pustą powłokę.

Druga matka uśmiechnęła się łagodnie. Jedną ręką rozbiła jajka do miski, drugą zaczęła je roztrzepywać. Potem rzuciła na patelnię łyżkę masła, które zaczęło syczeć, rozpływać się i pryskać. Pokroiła ser na cienkie plasterki, wlała stopione masło i wrzuciła ser do jajek, i ponownie zaczęła mieszać.

– Zachowujesz się niemądrze, kochanie – mruknęła. – Ja cię kocham. Zawsze będę cię kochać. Nikt rozsądny i tak nie wierzy w duchy – to dlatego że okropnie kłamią. Powąchaj tylko, jak ślicznie pachnie śniadanie, które ci robię. – Wylała na patelnię żółtą mieszaninę. – Omlet z serem, twój ulubiony.

Koralina poczuła, że do ust napływa jej ślinka.

– Lubisz gry – oznajmiła. – Tak mi przynajmniej mówiono.

Czarne oczy drugiej matki błysnęły.

– Wszyscy lubią gry – odparła.

– Tak – potwierdziła Koralina, zeskoczyła z blatu i usiadła przy stole.

Wędzonka skwierczała na grillu. Pachniała cudownie.

– Nie ucieszyłoby cię bardziej, gdybyś mnie wygrała: uczciwie, jak należy? – spytała Koralina.

– Może – odparła druga matka. Demonstracyjnie nie okazywała zainteresowania, lecz jej palce drgały i postukiwały o blat. Krwistoczerwonym językiem oblizała wargi. – Co dokładnie proponujesz?

– Siebie. – Koralina zacisnęła dłonie na ukrytych pod stołem kolanach, by powstrzymać ich drżenie. – Jeśli przegram, zostanę tu z tobą na zawsze i pozwolę ci się kochać. Będę najposłuszniejszą z córek, będę jadła twoje jedzenie, bawiła się, grała w szczęśliwe rodziny. I pozwolę ci przyszyć mi do oczu guziki.

Druga matka wpatrywała się w nią czarnymi guzikami.

– To brzmi pięknie – rzekła. – A jeśli nie wygram?

– Wtedy pozwolisz mi odejść. Wypuścisz wszystkich – mojego prawdziwego ojca i matkę, martwe dzieci. Wszystkich, których tu uwięziłaś.

Druga matka zdjęła z grilla wędzonkę i położyła na talerzu. Potem zsunęła z patelni omlet, obracając go i składając starannie.

Postawiła talerz przed Koraliną, przysunęła do niego szklankę świeżo wyciśniętego soku pomarańczowego i kubek gorącej czekolady z pianką.

– Tak – powiedziała. – Chyba podoba mi się ta gra. Ale w co właściwie zagramy? W zagadki, próbę wiedzy, umiejętności?

– W grę badawczą – podsunęła Koralina. – W poszukiwania.

– A cóż takiego zamierzasz znaleźć podczas owych poszukiwań, Koralino Jones?

Koralina zawahała się przez moment.

– Moich rodziców – rzekła w końcu – i dusze dzieci zza lustra.

Słysząc to, druga matka uśmiechnęła się zwycięsko i Koralina przez moment zwątpiła, czy dokonała właściwego wyboru. Było już jednak za późno, by zmienić zdanie.

– Umowa stoi – powiedziała druga matka. – A teraz zjedz śniadanie, skarbie. Nie bój się, nie zaszkodzi ci.

Koralina patrzyła w talerz. Nienawidziła się za to, że tak łatwo dała się przekonać, ale konała z głodu.

– Skąd mam wiedzieć, że dotrzymasz słowa? – spytała.

– Przysięgnę – odparła druga matka. – Przysięgnę na grób mojej własnej matki.

– A ona ma grób?

– O, tak. Sama ją do niego złożyłam, a kiedy zobaczyłam, że próbuje się wyczołgać, zakopałam ją z powrotem.

– Przysięgnij na coś innego, żebym mogła ci zaufać.

– Na moją prawą dłoń – powiedziała druga matka, unosząc rękę. Powoli pokiwała długimi palcami, demonstrując szponiaste paznokcie. – Przysięgam na nią.

Koralina wzruszyła ramionami.

– W porządku – rzekła. – Umowa stoi.

Zjadła śniadanie, próbując nie przełykać zbyt szybko. Była głodniejsza, niż sądziła. A gdy tak jadła, druga matka obserwowała ją uważnie. Trudno było odczytać wyraz oczu z czarnych guzików, lecz Koralinie wydało się, że tamta także jest głodna.

Wypiła sok pomarańczowy, lecz, choć miała ogromną ochotę, nie potrafiła się zmusić do skosztowania gorącej czekolady.

– Gdzie mam zacząć szukać? – zapytała.

– Gdzie tylko zechcesz – odparła druga matka, jakby w ogóle jej to nie obchodziło.

Koralina spojrzała na nią, zastanawiając się głęboko. Uznała, że nie ma sensu zwiedzać ogrodu i okolicy. Nie istniały, nie były prawdziwe. W świecie drugiej matki nie było opuszczonego kortu tenisowego ani bezdennej studni. Pozostawał jedynie sam dom.

Rozejrzała się po kuchni, otworzyła piekarnik, zerknęła do zamrażarki, przeszukała szufladę na warzywa w lodówce. Druga matka trzymała się blisko, patrząc na Koralinę z drwiącym uśmieszkiem tańczącym na wargach.

– Jak duże są dusze? – spytała Koralina.

Druga matka usiadła przy stole i oparła się o ścianę. Milczała. Podłubała w zębach długim, polakierowanym na szkarłatno paznokciem, a potem delikatnie postukała palcem – stuk, stuk, stuk – w błyszczącą czarną powierzchnię czarnego oka-guzika.

– Świetnie – rzuciła Koralina – nie mów mi. Bez łaski. Nie potrzebuję twojej pomocy. Wszyscy wiedzą, że dusza jest wielkości piłki plażowej.

Miała nadzieję, że druga matka powie coś w stylu „bzdura, dusza jest wielkości dojrzałej cebuli – albo walizki – albo zegara szafkowego", jednakże tamta jedynie się uśmiechnęła. Stukanie paznokcia w oko rozbrzmiewało miarowo, niestrudzenie, niczym kapanie wody ściekającej powoli z kranu do zlewozmywaka. A potem Koralina uświadomiła sobie, że to rzeczywiście kapanie wody. Była sama.

Zadrżała. Wolała wiedzieć, gdzie przebywa druga matka. Skoro nie było jej nigdzie, to mogła być wszędzie. A zresztą łatwiej bać się czegoś, czego nie widzimy. Wsunęła ręce do kieszeni. Jej palce zacisnęły się na kamieniu z dziurką pośrodku, jego dotyk dodawał otuchy. Koralina wyjęła kamień z kieszeni, uniosła go przed sobą, jakby trzymała w dłoni pistolet, i wyszła na korytarz.

Nic, poza kapaniem wody ściekającej do metalowego zlewu, nie zakłócało wszechobecnej ciszy.

Koralina zerknęła w lustro po drugiej stronie korytarza. Na moment jego powierzchnia zamgliła się i wydało jej się, że w szkle pływają twarze, niewyraźne, pozbawione rysów. Potem twarze zniknęły i w zwierciadle pozostała jedynie dziewczynka, drobna jak na swój wiek, trzymająca w palcach coś, co lśniło łagodnie niczym zielony, rozżarzony węgielek.

Zaskoczona Koralina spojrzała na swą rękę i ujrzała jedynie kamyk z dziurą pośrodku, zwykły kawałek brązowej skały. Potem popatrzyła w lustro, w którym kamień lśnił niczym szmaragd. Z lustrzanego kamienia wytrysnęła smuga zielonego ognia, szybując w stronę sypialni Koraliny.

– Hm – mruknęła Koralina.

Weszła do sypialni. Zabawki podskoczyły radośnie, jakby ucieszył je jej widok. Mały czołg wytoczył się ze skrzyni, by ją powitać; po drodze zgarnął pod gąsienice kilka innych zabawek, po czym wypadł na podłogę, przewracając się przy okazji, i leżał na dywanie jak chrząszcz na grzbiecie, mamrocząc i kołysząc gąsienicami. Koralina podniosła go i odwróciła. Zawstydzony czołg umknął pod łóżko.

Rozejrzała się po pokoju.

Zajrzała do szafek i szuflad. Potem podniosła jeden koniec skrzyni z zabawkami i wysypała je wszystkie na dywan, gdzie natychmiast zaczęły się przeciągać, marudzić i wiercić niezdarnie. Szara szklana kulka potoczyła się po podłodze i odbiła od ściany. Koralinie żadna z zabawek nie kojarzyła się z duszą. Podniosła i obejrzała uważnie srebrną bransoletkę z amuletami. Przywieszone do niej małe srebrne zwierzątka ścigały się przez całą wieczność – lis nigdy nie chwytał królika, niedźwiedź nie doganiał lisa.

Koralina otworzyła dłoń i spojrzała na kamień z dziurą pośrodku, w nadziei że dostrzeże jakąś wskazówkę. Nic z tego; większość zabawek ukrytych w skrzyni zdążyła już odpełznąć i ukryć się pod łóżkiem. Pozostało tylko kilka (zielony plastikowy żołnierzyk, szklana kulka, jaskraworóżowe jojo itp.), z tych, które zawsze znajduje się na dnie pudeł prawdziwego świata: przedmioty zapomniane, porzucone, niekochane.

Już miała wyjść i zacząć szukać gdzie indziej, gdy nagle przypomniała sobie głos w ciemności, cichutki szept i to, co jej poradził. Podniosła do prawego oka kamień z dziurką, zamknęła lewe i spojrzała na pokój przez otwór w kamieniu.

Widoczny za nim świat był szary i bezbarwny niczym ołówkowy szkic. Wszystko wokół było szare – nie, nie wszystko. Na podłodze coś lśniło, coś barwy żaru w kominku, czerwono-pomarańczowego tulipana skłaniającego głowę w blasku majowego słońca. Koralina sięgnęła lewą ręką, przerażona myślą, że jeśli oderwie oko od kamienia, przedmiot zniknie. Zaczęła macać w jego poszukiwaniu.

Jej palce zamknęły się na czymś gładkim i zimnym. Chwyciła to, opuściła kamień z dziurką i spojrzała w dół. Pośrodku różowej dłoni leżała szara szklana kulka z samego dna skrzyni z zabawkami. Koralina ponownie podniosła kamień i spojrzała przez niego na kulkę, ta zaś znów zapłonęła, migocząc czerwonym ogniem.

W jej umyśle odezwał się głos.

– Istotnie, o pani, teraz przypominam sobie, że byłem chłopcem. O tak. Musisz jednak się spieszyć. Pozostało nas jeszcze dwoje, a wiedźma złości się, bo mnie odnalazłaś.

Jeżeli ma mi się udać, pomyślała Koralina, to nie w jej ubraniu. Przebrała się z powrotem w piżamę, szlafrok i kapcie, pozostawiając na łóżku starannie złożony szary sweter i czarne dżinsy. Pomarańczowe buty zostawiła na podłodze obok skrzynki. Szklaną kulkę wsunęła do kieszeni szlafroka i wyszła na korytarz.

Coś ukłuło ją w twarz i ręce; przypominało piasek, unoszony przez wiatr na plaży. Koralina zasłoniła oczy i ruszyła dalej.

Ukłucia piasku stawały się coraz boleśniejsze, coraz trudniej też było iść naprzód. Jakby musiała walczyć z wiatrem w burzliwy dzień. Wichura była potężna i bardzo zimna.

Koralina cofnęła się o krok w stronę, z której przyszła.

– Och, idź dalej – szepnął w jej uchu ulotny głos – bo wiedźma się gniewa.

Kolejny krok w głąb korytarza. Gwałtowny powiew wiatru zasypał ją niewidzialnym piaskiem, który kłuł policzki i twarz, ostry jak szpilki, ostry jak szkło.

– Graj uczciwie! – krzyknęła Koralina.

Nikt nie odpowiedział, lecz wiatr uderzył raz jeszcze, a potem potulnie ucichł i zniknął. Mijając kuchnię, Koralina usłyszała w nagłej ciszy kapanie wody z cieknącego kranu, czy też może niecierpliwe stukanie długich paznokci drugiej matki o blat. Oparła się pokusie zajrzenia do środka.

Po kilku krokach dotarła do drzwi frontowych i wyszła na zewnątrz.

Zbiegła po schodach i okrążyła dom. Po chwili stanęła przed drzwiami drugich panien Spink i Forcible.

Otaczające je lampki rozbłyskiwały i gasły niemal losowo, nie układając się w żadne znane Koralinie słowa. Drzwi były zamknięte – przeraziła się, że na klucz, i z całych sił pociągnęła je do siebie. Przez moment stawiały opór, potem ustąpiły nagle i Koralina wpadła do ciemnego pomieszczenia.

Zaciskając rękę na kamieniu z dziurką, powędrowała naprzód, w ciemność. Spodziewała się natknąć na zasłonę w foyer. Niczego jednak nie czuła, wokół panował mrok. Teatr był pusty. Ostrożnie szła naprzód. Coś zaszeleściło w górze; spojrzała w tę stronę, próbując przeniknąć wzrokiem jeszcze głębszą ciemność, i w tym momencie potrąciła coś stopą. To była latarka. Koralina schyliła się, podniosła ją i włączyła, omiatając jasnym promieniem całe pomieszczenie.

Teatr był całkowicie opuszczony, zrujnowany. Na podłodze leżały połamane krzesła, ze ścian, spróchniałych drewnianych belek i przegniłych aksamitnych zasłon zwieszały się stare zakurzone pajęczyny.

W górze coś znów zaszeleściło. Koralina skierowała w tę stronę promień latarki. Z sufitu zwieszały się dziwne istoty, bezwłose, galaretowate. Może kiedyś miały twarze, może nawet były psami, jednakże żaden pies nie ma skrzydeł jak nietoperz i nie potrafi wisieć niczym pająk bądź nietoperz głową w dół.

Światło rozbudziło stwory. Jeden z nich wystartował, ciężko łopocząc skrzydłami w przepełnionym kurzem powietrzu. Koralina schyliła się gwałtownie, gdy przeleciał obok. Wylądował na ścianie i zaczął gramolić się głową w dół z powrotem do gniazda nietoperzopsów na suficie.

Koralina uniosła do oka kamień z dziurką i obejrzała uważnie całe pomieszczenie, szukając śladu blasku, migotania, oznaki, że gdzieś w tej sali kryje się kolejna skradziona dusza. Cały czas przyświecała sobie latarką. Gęste tumany kurzu sprawiały, że promień światła wydawał się niemal namacalny.

Na ścianie za zrujnowaną sceną coś wisiało. Coś szarobiałego, dwukrotnie większego niż Koralina, przylepionego do ściany niczym pozbawiony skorupy ślimak. Koralina odetchnęła głęboko.

– Nie boję się – powiedziała do siebie – nie boję się.

Sama sobie nie wierzyła, wgramoliła się jednak na starą scenę. Gdy podciągnęła się na rękach, palce zapadły się głęboko w spróchniałe drewno.

Podeszła bliżej i ujrzała, że to coś na ścianie przypomina wór, pajęczy kokon pełen jajek. W blasku latarki wór zadrżał. Wewnątrz niego kryło się coś, co przypominało człowieka, lecz człowieka o dwóch głowach i dwukrotnie większej niż normalna liczbie rąk i nóg.

Stwór wewnątrz kokonu sprawiał wrażenie upiornie nieukształtowanego i niedokończonego. Zupełnie jakby ktoś rozgrzał dwa plastelinowe ludki i zlepił je razem, ściskając mocno.

Koralina zawahała się. Nie chciała podchodzić do tego czegoś. Nietoperzopsy kolejno zaczęły odrywać się od sufitu i krążyć po sali. Podlatywały blisko, ale jej nie dotykały.

Może nie ma tu żadnych dusz, pomyślała. Może po prostu wyjdę i pójdę gdzie indziej. Po raz ostatni spojrzała przez otwór w kamieniu. Opuszczony teatr wciąż pozostawał szary i ponury. Teraz jednak dostrzegła brązowy blask, ciepły i jasny jak wypolerowane drewno, promieniujący z wnętrza kokonu. Cokolwiek lśniło, tkwiło w jednej z dłoni stworu na ścianie.

Koralina powoli ruszyła naprzód przez wilgotną scenę, starając się czynić jak najmniej hałasu. Bała się, że jeśli zakłóci sen istoty w kokonie, ta otworzy oczy, ujrzy ją, a potem...

Nie potrafiła jednak wyobrazić sobie nic straszniejszego, niż samo spojrzenie tego stworu. Serce waliło jej w piersi. Postąpiła kolejny krok.

Nigdy w życiu tak bardzo się nie bała. Szła jednak naprzód, póki nie dotarła do kokonu. A potem wepchnęła rękę w lepką, wilgotną, białą materię. Kokon zatrzeszczał cicho jak małe ognisko. Materia przywierała do jej skóry i ubrania, niczym pajęczyna czy biała cukrowa wata. Koralina sięgnęła głębiej w górę, póki nie dotknęła zimnej dłoni, która, jak czuła, zaciskała się wokół kolejnej szklanej kulki. Skóra stworu była śliska, jakby pokryta kisielem. Koralina pociągnęła kulkę.

Z początku nic się nie wydarzyło, kulka nadal tkwiła w palcach istoty. Potem jednak kolejno rozluźniły chwyt i szklany drobiazg wylądował w dłoni Koraliny. Powoli cofnęła rękę przez lepką sieć. Czuła ogromną ulgę, bo oczy istoty się nie otworzyły. Oświetliła twarze i uznała, że przypominają młodsze wersje panien Spink i Forcible, lecz wykrzywione i ściśnięte razem jak dwie bryłki wosku, które stopiły się i zlały w jedną upiorną całość.

Nagle, bez ostrzeżenia, dłoń stworu spróbowała chwycić rękę Koraliny. Paznokcie zadrapały jej skórę, która jednak była zbyt śliska, by dać się złapać, i Koralinie udało się cofnąć. A wtedy oczy się otwarły – cztery czarne guziki, błyszczące i patrzące na nią z góry – i dwa głosy, nie przypominające żadnego głosu, jaki dotąd słyszała, zaczęły do niej mówić. Jeden zawodził i szeptał, drugi brzęczał niczym wściekła wielka mucha na szybie. Oba jednak mówiły to samo:

– Złodziejka! Oddaj to. Stój. Złodziejka.

W powietrzu zaroiło się od nietoperzopsów. Koralina zaczęła się wycofywać. Uświadomiła sobie, że choć istota na ścianie, będąca niegdyś drugą panną Spink i panną Forcible, jest naprawdę przerażająca, to przecież nie może się ruszyć. Tkwi przylepiona do ściany we własnym kokonie. Nie może jej ścigać.

Nietoperzopsy przelatywały wokół niej, łopocząc skrzydłami, ale nie czyniły jej krzywdy. Koralina zsunęła się ze sceny, poświeciła latarką wokół siebie, szukając wyjścia z teatru.

– Uciekaj, o pani – zajęczał w jej głowie dziewczęcy głos. – Umykaj, masz już nas dwoje. Uciekaj z tego miejsca, póki w twych żyłach wciąż jeszcze płynie krew.

Koralina wsadziła kulkę do kieszeni obok poprzedniej. Znalazła drzwi, rzuciła się do nich pędem i otworzyła szarpnięciem.

IX.

Na zewnątrz świat stał się jedynie pozbawionym kształtu, mglistym wirem, w którym nie kryły się żadne formy ani cienie. Sam dom także jakby urósł i uległ zmianie. Koralina miała wrażenie, że przyczaił się, obserwując ją uważnie, jak gdyby nie był domem, lecz jedynie ideą domu, a osobę, do której należała owa idea, z pewnością trudno by nazwać dobrym człowiekiem. Do ręki przywarła jej lepka sieć. Koralina otarła ją jak najlepiej potrafiła. Same okna domu pochylały się pod dziwnymi kątami.

Druga matka czekała na trawie ze splecionymi rękami. Oczy z czarnych guzików patrzyły beznamiętnie, lecz wargi zaciskały się mocno, w zimnej wściekłości.

Gdy dostrzegła Koralinę, wyciągnęła długą białą rękę i zgięła palec. Koralina ruszyła ku niej. Druga matka milczała.

– Mam już dwie – oznajmiła Koralina. – Jeszcze tylko jedna dusza.

Wyraz twarzy drugiej matki nie zmienił się, zupełnie jakby nie usłyszała słów Koraliny.

– Pomyślałam, że chciałabyś wiedzieć.

– Dziękuję, Koralino – odparła zimno druga matka. Jej głos nie dobiegał wyłącznie z ust, ale też z mgły, oparów, domu, nieba. – Wiesz, że cię kocham – dodała.

I wbrew samej sobie Koralina przytaknęła. Istotnie, druga matka ją kochała. Kochała ją jednak tak jak skąpiec pieniądze albo smok swoje złoto. Koralina wiedziała, że w guzikowych oczach drugiej matki jest jedynie własnością, niczym więcej. Domowym zwierzątkiem, które przestało bawić swoją panią.

– Nie chcę twojej miłości – powiedziała. – Nie chcę od ciebie niczego.

– Nawet pomocy? – spytała druga matka. – Jak dotąd świetnie sobie radziłaś. Pomyślałam, że przyda ci się drobna wskazówka, która pomoże ci w dalszych poszukiwaniach.

– Sama sobie poradzę.

– Tak – mruknęła druga matka. – Gdybyś jednak zechciała wejść do pustego mieszkania frontowego, by się rozejrzeć, przekonałabyś się, że drzwi są zamknięte. I co wtedy?

– Ach! – Koralina zastanawiała się chwilę, po czym zapytała: – Czy istnieje klucz?

Druga matka stała bez ruchu w szarej jak papier mgle płaskiego świata. Jej czarne włosy unosiły się wokół głowy niczym obdarzone własną wolą i umysłem. Nagle zakasłała głośno i otworzyła usta.

Pogrzebała w nich palcami i oderwała od języka mały mosiężny kluczyk.

– Proszę. Będziesz go potrzebować, jeśli zechcesz tam wejść.

Od niechcenia rzuciła klucz Koralinie, która złapała go jedną ręką, nim zdążyła się nad tym zastanowić. Klucz wciąż był lekko wilgotny. Nagły powiew zimnego wiatru sprawił, że Koralina zadrżała i obejrzała się przez ramię. Gdy znów popatrzyła przed siebie, była sama.

Niepewnym krokiem okrążyła dom i stanęła przed wejściem do pustego mieszkania. Jak wszystkie inne drzwi, te także pomalowano na jasnozielono.

– Ona nie życzy ci dobrze – szepnął ulotny głos w jej uchu. – Nie wierzymy, by chciała ci pomóc. To musi być podstęp.

– Tak, przypuszczam, że macie rację – odparła Koralina. A potem wsunęła klucz w zamek i przekręciła go.

Drzwi otwarły się bezszelestnie i Koralina weszła do środka.

Ściany pustego mieszkania miały barwę starego mleka. Nagą drewnianą podłogę pokrywał kurz, a także ślady po wykładzinach i dywanach.

W mieszkaniu nie było mebli. Pozostały tylko miejsca, w których niegdyś je ustawiono. Na ścianach widniały odbarwione prostokąty w miejscach, gdzie kiedyś wisiały obrazy bądź zdjęcia. Wokół panowała tak głęboka cisza, iż Koralinie zdawało się, że słyszy szelest drobinek kurzu szybujących w powietrzu.

Ogarnął ją lęk, że coś mogłoby wyskoczyć na nią znienacka, toteż zaczęła gwizdać, uznawszy, iż w ten sposób utrudni temu czemuś zadanie.

Najpierw zwiedziła pustą kuchnię, potem przeszła przez pustą łazienkę wyposażoną jedynie w wannę z lanego żelaza. W wannie leżał martwy pająk wielkości małego kota. Ostatni pokój, który sprawdziła, był kiedyś, jak sądziła, sypialnią. Wyobrażała sobie, że prostokątny cień w kurzu na podłodze oznacza miejsce, w którym stało łóżko. Nagle dostrzegła coś i uśmiechnęła się ponuro. Wśród desek widniał duży metalowy pierścień. Koralina uklękła, chwyciła w dłonie zimny metal i pociągnęła z całych sił.

Powoli, sztywno, złowieszczo fragment podłogi zaczął się unosić. To była klapa. W otworze Koralina ujrzała tylko ciemność. Wyciągnęła rękę i jej dłoń natrafiła na zimny przełącznik. Nacisnęła go, nie wierząc, że zadziała. Jednak gdzieś w dole zapłonęła żarówka, rozjaśniając dziurę w podłodze słabym żółtym światłem. Koralina zobaczyła schody wiodące w dół. Nic poza tym.

Wsunęła dłoń do kieszeni i wyjęła kamień z dziurką. Popatrzyła przez niego w głąb piwnicy, niczego jednak nie dostrzegła. Z powrotem schowała kamień.

Z dziury unosiła się woń wilgotnej gliny i czegoś jeszcze, ostry gryzący zapach octu.

Koralina stanęła na schodkach, patrząc nerwowo na klapę. Była tak ciężka, że gdyby opadła, z pewnością na wieki uwięziłaby ją w ciemności. Koralina dotknęła klapy, która pozostała w pozycji pionowej. Potem odwróciła się, patrząc w mrok, i ruszyła w dół. U stóp schodów ujrzała kolejny włącznik światła, metalowy i zardzewiały. Nacisnęła go mocno, usłyszała szczęk i nad jej głową zajaśniała naga żarówka, zwisająca na drucie z niskiego sufitu. Nie dawała dość światła, by Koralina mogła obejrzeć wizerunki namalowane na obłażących z farby ścianach. Wyglądały na dość prymitywne – dostrzegła jedynie oczy i coś, co przypominało winogrona, a także inne rzeczy poniżej, które mogły być podobiznami ludzi.

W jednym kącie leżał stos śmieci – kartonowe pudełka pełne pleśniejących papierów, obok sterta przegniłych zasłon.

Koralina stąpała z chrzęstem po betonowej podłodze. Ostra woń była coraz gorsza. Koralina już miała zawrócić i odejść, gdy ujrzała stopę wystającą spod zgniecionych zasłon.

Odetchnęła głęboko (jej głowę wypełniła woń skwaśniałego wina i zapleśniałego chleba) i odrzuciła wilgotną, przegniłą tkaninę, odsłaniając coś mniej więcej kształtu i wielkości człowieka.

W słabym świetle potrzebowała kilkunastu sekund, by to rozpoznać. Istota była blada i napuchnięta niczym pędrak. Miała chude, patykowate ręce i nogi. Obrzmiała, ciastowata twarz była praktycznie pozbawiona rysów.

W miejscu oczu istoty widniały dwa wielkie, czarne guziki.

Koralina jęknęła z odrazą i przerażeniem, i stwór, jakby słysząc ów dźwięk, zaczął wstawać. Koralina stała bez ruchu, przyrośnięta do podłogi. Istota obróciła głowę, oczy z czarnych guzików spojrzały wprost na nią. W pozbawionej warg twarzy otwarły się usta, wciąż jeszcze zlepione czymś białym, i głos, który nie przypominał już w ogóle głosu jej ojca, szepnął:

– Koralina.

– No cóż – rzekła Koralina do istoty, która niegdyś była jej drugim ojcem – przynajmniej nie rzuciłeś się na mnie.

Patykowate ręce potwora uniosły się do twarzy i nacisnęły gliniaste ciało, tworząc coś w rodzaju nosa. Stwór milczał.

– Szukam moich rodziców – oznajmiła Koralina – i duszy skradzionej jednemu z tamtych dzieci. Czy są tutaj?

– Tu nie ma nic – odparł niewyraźnie biały stwór. – Jedynie kurz, wilgoć i zapomnienie. – Istota była biała, wielka, napuchnięta. Jest potworna, pomyślała Koralina, ale też nieszczęśliwa. Uniosła do oka kamień z dziurką i spojrzała przez niego. Nic. Blady stwór mówił prawdę.

– Biedaku – rzekła – założę się, że to ona cię tu zamknęła za karę, że tak dużo mi powiedziałeś.

Stwór zawahał się, po czym skinął głową. Koralina zastanawiała się, jak kiedykolwiek mogła sądzić, iż to pędrakowate stworzenie przypomina jej ojca.

– Tak mi przykro – dodała.

– Nie jest zachwycona – powiedział stwór, który niegdyś był jej drugim ojcem. – Zdecydowanie nie jest zachwycona. Bardzo ją zdenerwowałaś, a kiedy się denerwuje, wyżywa się na innych. Taka już jest.

Koralina pogładziła bezwłosą głowę. Skóra stwora była lepka niczym ciepłe chlebowe ciasto.

– Biedaku – powtórzyła – jesteś tylko czymś, co stworzyła, a potem odrzuciła.

Stwór gwałtownie kiwnął głową, tak mocno, że jedno z guzikowych oczu odpadło i potoczyło się z brzękiem po betonowej podłodze. Rozejrzał się tępo drugim okiem w poszukiwaniu Koraliny, w końcu ją dostrzegł i z ogromnym wysiłkiem jeszcze raz otworzył usta.

– Uciekaj, dziecko – rzekł pełnym napięcia, wilgotnym głosem. – Opuść to miejsce. Ona chce, żebym cię skrzywdził, zatrzymał tutaj na zawsze. Abyś nigdy nie mogła dokończyć gry, bo wtedy wygra. Z całych sił nakazuje mi cię skrzywdzić. Nie mogę z nią walczyć.

– Możesz – odparła Koralina. – Odwagi.

Rozejrzała się wokół. Stwór, który niegdyś był jej drugim ojcem, stał między nią i schodami prowadzącymi na górę. Zaczęła cofać się w stronę ściany, ku stopniom. Istota okręciła się miękko, jakby nie miała kości, i znów spojrzała na nią swym jedynym okiem. Zdawała się rosnąć, nabierać mocy.

– Niestety – rzekła – nie mogę.

Nagle rzuciła się w stronę Koraliny, szeroko otwierając bezzębne usta.

Koralinie pozostało mgnienie oka, w którym mogła zareagować. Przyszły jej do głowy tylko dwa wyjścia. Mogła albo krzyknąć i spróbować ucieczki, ścigana w pogrążonej w półmroku piwnicy przez wielkiego pędraka, który z pewnością w końcu ją schwyta, albo też zrobić coś innego.

Zrobiła zatem coś innego.

Gdy stwór znalazł się blisko, Koralina wyciągnęła rękę i chwyciła z całych sił jedyne guzikowe oko. Szarpnęła tak mocno, jak tylko potrafiła.

Przez moment nic się nie wydarzyło. A potem guzik ustąpił i wyleciał jej z ręki, odbijając się z brzękiem od ściany i lądując gdzieś na betonowej podłodze.

Stwór zamarł w miejscu. Ślepo odrzucił białą głowę, otworzył szeroko, straszliwie szeroko, usta i ryknął z wściekłości i zawodu. A potem w pośpiechu runął w miejsce, w którym stała Koralina.

Koraliny już jednak tam nie było. Stąpała na paluszkach, jak najciszej potrafiła, po schodach wiodących w górę, byle dalej od mrocznej piwnicy z dziwacznymi malunkami na ścianach. Nie mogła oderwać wzroku od podłogi w dole. Blady stwór miotał się tam i wił, próbując ją znaleźć. Nagle, jakby ktoś powiedział mu, co ma robić, stwór zatrzymał się, przechylając głowę.

Nasłuchuje, pomyślała Koralina. Szuka mnie. Muszę zachować ciszę. Postąpiła kolejny krok w górę, jej stopa poślizgnęła się na schodach i potwór ją usłyszał.

Natychmiast zwrócił głowę w jej stronę. Przez sekundę kołysał się, jakby zbierając myśli, a potem, szybki niczym wąż, zaczął wpełzać po schodach, płynąć w górę, ku swej ofierze. Koralina odwróciła się i popędziła na oślep przed siebie, pokonując ostatnich kilka stopni. Podciągnęła się i upadła na podłogę zakurzonej sypialni. Bez chwili namysłu szarpnęła ku sobie ciężką klapę i puściła ją. Klapa z hukiem runęła w dół dokładnie w chwili, gdy coś ciężkiego rąbnęło w nią od spodu. Zatrzęsła się i zatrzeszczała, pozostała jednak na miejscu.

Koralina odetchnęła głęboko. Gdyby w pokoju stał jakikolwiek mebel, nawet krzesło, podciągnęłaby go na klapę. Niczego jednak nie było.

Szybko, prawie biegiem, wydostała się z mieszkania, zamykając za sobą drzwi na klucz. Zostawiła go pod wycieraczką. Potem zeszła na podjazd.

Myślała, że może druga matka będzie tam stać i czekać. Lecz świat na zewnątrz był cichy i pusty.

Koralina gwałtownie zapragnęła wrócić do domu.

Skuliła się, powtarzając, że jest odważna, i niemal w to wierząc. A potem okrążyła skąpany w szarej mgle nie będącej mgłą dom i dotarła do wiodących w górę schodów.

X.

Koralina weszła po zewnętrznych schodach, wiodących do najwyższego mieszkania, w którym w jej świecie mieszkał szalony starzec. Raz jeden odwiedziła to miejsce ze swą prawdziwą matką, gdy zbierały pieniądze na cele dobroczynne. Czekały w otwartych drzwiach, aż szalony starzec, którego twarz ozdabiały wielkie wąsy, znajdzie zostawioną przez matkę Koraliny kopertę. Tamto mieszkanie pachniało dziwnymi potrawami, fajkowym tytoniem i czymś ostrym, przypominającym ser. Koralina nie potrafiła tego nazwać. Wcale nie miała ochoty wchodzić głębiej.

– Jestem badaczem – rzekła teraz głośno, lecz dźwięczące w mglistym powietrzu słowa zdawały się martwe, przytłumione. – W końcu wydostałam się z piwnicy, prawda?

Istotnie, jeśli jednak była czegoś pewna, to tego, że mieszkanie na górze okaże się jeszcze gorsze.

Dotarła do celu. Niegdyś górne mieszkanie było zwykłym strychem, ale już dawno zmieniło swoją rolę.

Zastukała do zielonych drzwi. Otwarły się i weszła do środka.

Mamy ogony, choć nie futrzane,
Błyskamy okiem, ciach pazurami,
Wy dostaniecie, co wam pisane,
Gdy podźwigniemy się już z otchłani

zaszeptało kilkanaście cichych głosików w mrocznym mieszkaniu. Ukośny dach łączył się ze ścianami tak nisko, że Koralina prawie mogłaby go dosięgnąć.

Spojrzały na nią czerwone oczy. Małe, różowe stópki oddaliły się pospiesznie, gdy podeszła bliżej. Wśród cieni na obrzeżach mroku zatańczyły ciemniejsze kształty.

Śmierdziało tu znacznie gorzej niż w prawdziwym mieszkaniu szalonego starca. Tam bowiem pachniało jedzeniem (w opinii Koraliny okropnym, wiedziała jednak, że to kwestia smaku. Nie lubiła ziół, przypraw i dań egzotycznych). To miejsce cuchnęło, jakby wszystkie egzotyczne potrawy świata rozkładały się w pobliżu.

– Dziewczynko – rzekł szeleszczący głos z najdalszego pokoju.

– Tak – odparła Koralina.

– Nie boję się – powiedziała do siebie i nagle uświadomiła sobie, że to prawda. Nic już nie mogło jej przerazić. Te stwory – nawet istota w piwnicy – to były iluzje, stworzone przez drugą matkę, upiorne parodie prawdziwych ludzi i zwierząt po drugiej stronie korytarza. Lecz druga matka nie umie stworzyć niczego naprawdę – pomyślała Koralina. – Potrafi jedynie naśladować i zniekształcać istniejące rzeczy.

Nagle Koralina zaczęła się zastanawiać, czemu druga matka postawiła w salonie na kominku śnieżną kulę. W świecie Koraliny nic tam przecież nie stało.

I gdy tylko zadała sobie pytanie, zrozumiała, że zna odpowiedź.

A potem głos odezwał się ponownie, zakłócając bieg jej myśli.

– Chodź tu, dziewczynko. Wiem, czego chcesz, dziewczynko – szeleszczący, suchy, ochrypły głos skojarzył się Koralinie z olbrzymim martwym owadem. Wiedziała, że to niemądre. W końcu martwa istota, zwłaszcza owad, nie mogła mieć głosu.

Przeszła przez kilka pokoi o niskich, ukośnych dachach. W końcu dotarła do sypialni. Drugi szalony starzec z góry siedział po przeciwnej stronie pokoju, w półmroku, opatulony płaszczem i kapeluszem. Gdy tylko Koralina weszła, zaczął mówić.

– Nic się nie zmienia, dziewczynko. – Jego głos przypominał szelest suchych liści, tańczących na chodniku. – Jeśli nawet zrobisz to, co przyrzekłaś, co wtedy? Nic się nie zmieni. Wrócisz do domu i znów będziesz się nudzić, rodzice będą cię ignorować, nikt nie będzie cię słuchał, nie tak naprawdę. Jesteś zbyt bystra i zbyt cicha, by mogli cię zrozumieć. Nie potrafią nawet zapamiętać twojego imienia.

– Zostań tu z nami – dodał głos, dobiegający z ust postaci po drugiej stronie pokoju. – My będziemy cię słuchać, bawić się z tobą, śmiać. Twoja druga matka stworzy nowe światy, które będziesz mogła badać, i każdej nocy, gdy skończysz, zniszczy je, robiąc miejsce kolejnym. Każdy dzień będzie lepszy, jaśniejszy niż poprzedni. Pamiętasz swoje zabawki? A teraz wyobraź sobie taki właśnie świat, stworzony wyłącznie dla ciebie.

– Czy będą w nim szare mokre dni, kiedy sama nie wiem, co ze sobą począć, nie mam nic do czytania i do oglądania, nie mogę nigdzie pójść i czas wlecze się okropnie? – spytała Koralina.

Ukryty w cieniu człowiek odparł.

– Nigdy.

– A paskudne obiady, zrobione według przepisów, z czosnkiem, estragonem i fasolką szparagową?

– Każdy posiłek będzie istną ucztą – wyszeptał głos dobiegający spod kapelusza starca. – Będziesz mogła napawać się wszystkim, co lubisz najbardziej.

– A czy dostanę jaskrawozielone rękawiczki i żółte kalosze w kształcie żab?

– Żab, kaczek, nosorożców, ośmiornic, czego tylko zapragniesz. Każdego ranka będzie czekał na ciebie nowy świat. Jeśli tu zostaniesz, damy ci wszystko, czego tylko zechcesz.

Koralina westchnęła.

– Ty naprawdę nie rozumiesz, prawda? – rzekła. – Ja wcale nie chcę wszystkiego, czego pragnę. Nikt tego nie chce. Nie tak naprawdę. Co to za zabawa dostawać wszystko, o czym się marzy, tak po prostu? Wtedy to nic nie znaczy. Zupełnie nic.

– Nie rozumiem – odparł szepczący głos.

– Oczywiście, że nie rozumiesz – powiedziała, unosząc do oka kamień z dziurką. – Jesteś tylko kiepską kopią szalonego starca z góry.

– Już nie – odparł martwy, cichy głos.

Pod prochowcem na wysokości piersi coś lśniło. Przez otwór w kamieniu widziała migotliwy, białobłękitny blask, iskierkę, maleńką gwiazdę. Koralina pożałowała, że nie ma patyka, czy czegoś podobnego, by móc pogrzebać pod płaszczem. Nie miała ochoty zbliżać się do ukrytego w cieniu mężczyzny po drugiej stronie pokoju.

Postąpiła krok naprzód i wówczas mężczyzna się rozpadł. Z rękawów i spod płaszcza, spod płaszcza i kapelusza wyskoczyły czarne szczury. Ich czerwone oczy lśniły w mroku. Szczury rzuciły się do ucieczki, świergocząc. Płaszcz zatrzepotał i runął ciężko na ziemię. Kapelusz odturlał się w kąt sypialni.

Koralina wyciągnęła rękę i rozchyliła poły płaszcza. Był pusty, tłusty w dotyku. Nie dostrzegła ani śladu ostatniej szklanej kulki. Przebiegła wzrokiem pokój, mrużąc oko, do którego wciąż przytykała kamień z dziurką pośrodku, i tuż nad podłogą przy wejściu dostrzegła coś płonącego i lśniącego jak gwiazda. Światełko tkwiło w przednich łapach największego czarnego szczura. Na jej oczach zniknęło.

Pozostałe szczury obserwowały ją z kątów pokoju, gdy puściła się biegiem w ślad za nim.

Zwykle szczury biegają szybciej niż ludzie, zwłaszcza na krótkie dystanse. Lecz wielki czarny szczur trzymający w przednich łapach szklaną kulkę to żaden przeciwnik dla zdesperowanej dziewczynki (nawet małej jak na swój wiek) biegnącej pełną parą. Mniejsze czarne szczury śmigały przed nią, próbując odwrócić uwagę Koraliny, ona jednak całkowicie je ignorowała, cały czas patrząc jedynie na tego z kulką, kierującego się wprost do wyjścia z mieszkania.

Po chwili wypadli na zewnętrzne schody.

Koralina, pędząc w dół, zdążyła zauważyć, że dom nadal się zmienia. Staje się mniej wyraźny, jakby płaski. Przypominał teraz zdjęcie domu, nie prawdziwy budynek. A potem przestała myśleć, bo pędziła na złamanie karku po schodach, ścigając szczura, skupiona wyłącznie na pościgu, świadoma, że go dogania. Biegła szybko – za szybko; przekonała się o tym na podeście. Jej stopa poślizgnęła się, przekręciła i Koralina runęła na beton.

Przy upadku zdarła sobie skórę z lewego kolana. Dłoń, którą próbowała wyhamować upadek, pokrywały zadrapania i brud. Trochę bolało; Koralina wiedziała, że wkrótce zaboli znacznie mocniej. Starła brud i żwir z ręki i jak najszybciej podniosła się z ziemi, wiedząc, że przegrała, że jest już za późno. Mimo to zbiegła na dół, na ostatni podest.

Rozejrzała się wokół w poszukiwaniu szczura, on jednak zniknął, unosząc ze sobą kulkę.

Ręka bolała ją w miejscu zadrapania. Przez rozdartą nogawkę piżamy przeciekała strużka krwi. Bolało równie mocno jak w lecie, gdy matka zdjęła boczne kółka z roweru Koraliny. Wówczas jednak skaleczeniom i zadrapaniom (jej kolana pokrywały niezliczone strupy) towarzyszyło poczucie zwycięstwa, świadomość, że coś osiągnęła, czegoś się nauczyła, zrobiła coś, czego wcześniej nie umiała. Teraz miała wyłącznie poczucie klęski. Zawiodła tamte dzieci, zawiodła rodziców, zawiodła też samą siebie, wszystkich.

Zamknęła oczy, marząc o tym, by zapaść się pod ziemię.

I wtedy usłyszała kaszlnięcie.

Otworzyła oczy i ujrzała szczura. Leżał na ceglanej ścieżce u stóp schodów ze zdziwionym wyrazem pyszczka – spoczywającego kilkanaście centymetrów od reszty ciała. Wąsiki miał sztywne, oczy szeroko otwarte, żółte ostre zęby odsłonięte. Na jego szyi lśniła czerwona, wilgotna, krwista obroża.

Obok bezgłowego szczura siedział wyraźnie zadowolony z siebie czarny kot. Jedną łapą przytrzymywał szarą szklaną kulkę.

– Wydaje mi się – rzekł kot – iż wspomniałem kiedyś, że generalnie nie przepadam za szczurami. Odniosłem jednak wrażenie, że ten jest ci potrzebny. Mam nadzieję, że nie masz nic przeciw temu, że się wtrąciłem.

– Wydaje mi się – odparła Koralina, próbując złapać oddech – wydaje mi się, że... istotnie... coś takiego wspominałeś.

Kot uniósł łapę i kulka potoczyła się w stronę Koraliny, która podniosła ją z ziemi. W jej umyśle odezwał się naglący szept.

– Ona kłamie. Schwytała cię i nigdy nie wypuści. Nie potrafi oddać żadnego z nas, tak jak nie potrafi zmienić własnej natury.

Włosy na karku Koraliny zjeżyły się gwałtownie. Wiedziała, że martwa dziewczynka mówi prawdę. Schowała kulkę do kieszeni szlafroka wraz z pozostałymi.

Miała już trzy.

Musiała jedynie znaleźć rodziców.

I nagle ze zdumieniem uświadomiła sobie, że to łatwe. Wiedziała dokładnie, gdzie są. Gdyby zastanowiła się choć chwilę, już dawno zrozumiałaby, gdzie ich znaleźć. Druga matka nie potrafiła tworzyć; umiała tylko zmieniać, wykoślawiać, przekształcać.

Obramowanie kominka w salonie prawdziwego domu było puste. W tym momencie jednak uświadomiła sobie coś jeszcze.

– Druga matka zamierza złamać słowo. Nie pozwoli nam odejść – powiedziała Koralina.

– To do niej podobne – przyznał kot. – Jak już mówiłem, nie ma gwarancji, że będzie grała uczciwie. – Nagle uniósł głowę. – Hej, hej, widziałaś?

– Co takiego?

– Obejrzyj się – poradził kot.

Dom stał się jeszcze bardziej płaski. Nie przypominał już zdjęcia, bardziej rysunek, prymitywny węglowy szkic domu na szarym papierze.

– Cokolwiek się dzieje – rzekła Koralina – dziękuję za pomoc ze szczurem. Jestem już chyba blisko, prawda? Możesz więc odejść we mgłę, czy gdzie tam chadzasz. I mam nadzieję, że zobaczymy się w domu. Jeśli pozwoli mi wrócić do domu.

Futro kota zjeżyło się gwałtownie, jego ogon przypominał szczotkę kominiarską.

– Coś jest nie tak? – spytała Koralina.

– Zniknęły – odparł kot – już ich nie ma. Wejść i wyjść z tego miejsca. Stały się płaskie.

– To źle?

Kot opuścił ogon, machając nim gniewnie. Z głębi jego gardła dobiegł cichy warkot. Zatoczył koło, odwracając się od Koraliny, a potem ruszył sztywno do tyłu, krok po kroku, póki nie przywarł do jej nogi. Pogłaskała go i poczuła, jak mocno bije mu serce. Drżał niczym suchy liść na wietrze.

– Wszystko będzie dobrze – powiedziała. – Obiecuję. Zabiorę cię do domu.

Kot nie odpowiedział.

– Chodź, kocie – dodała. Ruszyła w stronę schodów, kot jednak pozostał na miejscu. Wydawał się głęboko nieszczęśliwy i, o dziwo, znacznie mniejszy niż przedtem.

– Skoro ona zagradza nam drogę do wyjścia – oznajmiła Koralina – to będziemy musieli przejść obok niej.

Wróciła do kota, pochyliła się i go podniosła. Kot nie stawiał oporu, cały czas drżał. Przytrzymała go jedną dłonią, oparła przednie łapki na ramieniu. Był ciężki, ale nie za bardzo. Polizał jej rękę w miejscu, gdzie gromadziła się krew z zadrapania.

Koralina powoli weszła na schody prowadzące do własnego mieszkania. Cały czas zdawała sobie sprawę z obecności kulek dźwięczących cicho w kieszeni, a także kamienia z dziurką pośrodku i wtulonego w ramię kota.

Dotarła do drzwi – obecnie jedynie dziecięcego rysunku drzwi – i popchnęła je ręką. Podświadomie obawiała się, że jej dłoń rozedrze rysunek, ukazując jedynie ciemność i mrowie gwiazd.

Drzwi jednak otwarły się i Koralina przekroczyła próg.

XI.

Gdy Koralina znalazła się już z powrotem w swym mieszkaniu, czy raczej w mieszkaniu, które nie było jej, z ulgą stwierdziła, iż w odróżnieniu od reszty domu nie przekształciło się ono w pusty, płaski rysunek. Wciąż miało głębię i cienie, wśród których ktoś stał, czekając na jej powrót.

– Wróciłaś zatem – powiedziała druga matka. Nie sprawiała wrażenia zadowolonej. – I przyniosłaś ze sobą szkodnika.

– Nie – nie zgodziła się Koralina. – Przyniosłam przyjaciela.

Poczuła, jak kot sztywnieje jej w ramionach, jakby pragnął uciec. Koralina miała ochotę wtulić się w niego jak w misia i poszukać pociechy, lecz wiedziała, że koty nie znoszą, gdy się je ściska, i podejrzewała, iż przerażony kot może – jeśli się go sprowokuje – zacząć drapać i gryźć, nawet gdy jest po twojej stronie.

– Wiesz, że cię kocham – oznajmiła beznamiętnie druga matka.

– Masz zabawny sposób okazywania miłości.

Koralina przeszła przez korytarz. Skręciła do salonu, spokojnie stawiając kroki i udając, że nie czuje na swych plecach spojrzenia pustych czarnych oczu drugiej matki. Ozdobne meble babki wciąż tam stały, na ścianie wisiał obraz przedstawiający dziwaczne owoce (teraz jednak owoce na obrazie zostały zjedzone, w misie pozostał tylko zbrązowiały ogryzek jabłka, kilka pestek śliwek i brzoskwini i objedzona łodyżka winogron). Stół na lwich łapach wbijał drewniane szpony w dywan, jakby niecierpliwie na coś czekał. W najdalszym kącie pokoju widniały drewniane drzwi, które kiedyś, w innym miejscu, otwarły się, ukazując zwykły ceglany mur. Koralina starała się na nie nie patrzeć. Za oknem nie było nic oprócz mgły.

To jest to – pomyślała Koralina. – Chwila prawdy. Moment, gdy wszystko się wyjaśni.

Druga matka przyszła za nią. Teraz stała pośrodku pokoju między Koraliną i kominkiem i patrzyła na nią z góry oczami z czarnych guzików. Zabawne – pomyślała Koralina – druga matka w ogóle nie przypominała jej prawdziwej matki. Koralina nie potrafiła pojąć, jakim cudem kiedykolwiek mogła uważać, że łączy je jakieś podobieństwo. Druga matka była olbrzymia – głową niemal sięgała sufitu – i bardzo blada, jej twarz przybrała barwę brzucha pająka. Włosy wiły jej się wokół głowy, zęby miała ostre jak sztylety...

– I co? – spytała zimno druga matka. – Gdzie oni są?

Koralina oparła się o fotel. Lewą ręką poprawiła kota, prawą sięgnęła do kieszeni i wyciągnęła trzy szklane kulki. Mglistoszare kuleczki zadźwięczały jej w dłoni. Druga matka wyciągnęła ku nim białe palce, lecz Koralina szybko schowała zdobycz do kieszeni. W tym momencie wiedziała już, że miała rację. Druga matka nie zamierzała dotrzymać słowa i pozwolić jej odejść. Dla niej cała gra stanowiła jedynie rozrywkę, nic więcej.

– Chwileczkę – rzekła Koralina – przecież jeszcze nie skończyłyśmy.

Oczy drugiej matki zabłysły gniewnie, lecz uśmiechnęła się słodko.

– Nie, rzeczywiście. Musisz jeszcze przecież znaleźć swoich rodziców.

– Tak – powiedziała Koralina. Nie wolno mi patrzeć na kominek, upomniała się w myślach, ani nawet o nim myśleć.

– Zatem? – rzuciła druga matka. – Pokaż ich. Chciałabyś znów zajrzeć do piwnicy? Ukryłam tam jeszcze mnóstwo ciekawych rzeczy.

– Nie – rzekła Koralina. – Wiem, gdzie są moi rodzice.

Kot ciążył jej w ramionach. Przesunęła go w przód, odczepiając pazurki od ramienia.

– Gdzie?

– To logiczne – wyjaśniła Koralina. – Sprawdzałam już wszystkie możliwe kryjówki. Nie ma ich w domu.

Druga matka stała nieruchomo, niczego nie zdradzając. Jej wargi zaciskały się mocno. Równie dobrze mogła być woskową figurą. Nawet jej włosy przestały się poruszać.

– Czyli – ciągnęła Koralina, obejmując mocno czarnego kota – wiem, gdzie muszą być. Ukryłaś ich w przejściu pomiędzy domami, prawda? Są za tymi drzwiami. – Skinieniem głowy wskazała drzwi w rogu.

Druga matka nadal trwała bez ruchu, lecz jej twarz rozjaśnił cień uśmiechu.

– Czyżby?

– Może więc je otworzysz – zaproponowała Koralina. – Będą tam na pewno.

Wiedziała, że ma przed sobą jedyną drogę do domu. Wszystko jednak zależało od tego, jak bardzo druga matka pragnie się wywyższać, szczycić, nie po prostu wygrać, lecz pokazać, że wygrała.

Druga matka powoli sięgnęła do kieszeni fartucha i wyjęła czarny żelazny klucz. Kot poruszył się niespokojnie w ramionach Koraliny, jakby chciał zeskoczyć na ziemię. Jeszcze chwileczkę, zostań proszę – pomyślała, zastanawiając się, czy ją słyszy. Oboje wrócimy do domu. Załatwię to, obiecuję. Poczuła, że kot się rozluźnił.

Druga matka podeszła do drzwi i wsunęła klucz w zamek.

Przekręciła go.

Koralina usłyszała głośny szczęk zasuwy. Sama tymczasem cichutko zaczęła się cofać w stronę kominka.

Druga matka nacisnęła klamkę i otworzyła drzwi, za którymi rozciągał się ciemny, pusty korytarz.

– Proszę – rzekła, wskazując go ręką. Jej rozjaśniona radością twarz wyglądała upiornie. – Myliłaś się. Nie wiesz, gdzie są twoi rodzice, prawda? Bo tutaj ich nie ma. – Odwróciła się i spojrzała na Koralinę. – A teraz – dodała – zostaniesz tu na wieki.

– Nie – odparła Koralina – nie zostanę. – Najmocniej jak potrafiła cisnęła czarnym kotem w drugą matkę.

Kot miauknął przeciągle i w błysku pazurów i zębów wylądował na głowie drugiej matki, wściekły, groźny. Ze zjeżonym futrem wydawał się dwa razy większy niż w rzeczywistości.

Nie czekając na to, co się stanie, Koralina wyciągnęła rękę i chwyciła śnieżną kulę, wrzucając ją głęboko do kieszeni szlafroka.

Kot zawył gniewnie, wbijając zęby w policzek drugiej matki, która wymachiwała rękami, próbując się bronić. Ze skaleczeń w białej twarzy wypływała krew – nie czerwona, lecz czarna, gęsta jak smoła. Koralina rzuciła się biegiem w stronę drzwi.

Wyszarpnęła klucz z zamka.

– Zostaw ją! Chodź! – krzyknęła do kota, który syknął i machnął uzbrojoną w ostre jak skalpele pazury łapą, rozdzierając twarz drugiej matki. Z kilku skaleczeń na jej nosie popłynęła czarna maź. Potem skoczył ku Koralinie. – Szybko! – rzuciła. Kot pobiegł ku niej i oboje wypadli na czarny korytarz.

Panował tam chłód, niczym w piwnicy w ciepły dzień. Kot zawahał się, a potem, widząc zbliżającą się drugą matkę, podbiegł do Koraliny i zatrzymał się przy jej nogach.

Koralina zaczęła zamykać drzwi.

Były cięższe, niż przypuszczała, i stawiały opór, zupełnie jakby odpychała je silna wichura. Poczuła, że coś z drugiej strony zaczyna ciągnąć klamkę.

Zamknijcie się – pomyślała, po czym dodała głośno:

– No dalej, proszę. – Drzwi znów zaczęły się poruszać, zbliżać ku niej, walczyć z widmowym wiatrem.

Nagle odniosła wrażenie, że w korytarzu są też inni ludzie. Nie mogła odwrócić głowy, by na nich spojrzeć, wyczuwała jednak ich obecność.

– Pomóżcie mi, proszę – rzekła – wszyscy.

Pozostali ludzie w korytarzu – troje dzieci, dwoje dorosłych – byli zbyt bezcieleśni, żeby mogli dotknąć drzwi, lecz ich dłonie chwyciły jej ręce i, ciągnąc wielką żelazną klamkę, nagle poczuła się silniejsza.

– Nie puszczaj, panienko. Trzymaj mocno, mocno – szepnął głos w jej umyśle.

– Ciągnij mała, ciągnij – szepnął drugi.

A potem głos, który przypominał głos matki – jej własnej, prawdziwej, cudownej, irytującej, męczącej, wspaniałej matki, rzekł tylko „dobra robota, Koralino" – i to wystarczyło.

Drzwi zaczęły się zamykać.

– Nie! – krzyknął ktoś z drugiej strony głosem nie przypominającym już w ogóle ludzkiego.

Coś złapało Koralinę, sięgając przez zmniejszającą się szparę pomiędzy drzwiami i futryną. Koralina gwałtownie cofnęła głowę, lecz drzwi znów zaczęły się otwierać.

– Wrócimy do domu – powiedziała głośno Koralina. – Wrócimy. Pomóżcie mi. – Uskoczyła przed upiornymi palcami.

I wtedy ręce duchów przeszły przez nią, użyczając jej siły, której już nie miała. Jeszcze jedna chwila oporu, jakby coś utknęło w drzwiach, a potem drewniane wrota zamknęły się z trzaskiem.

Coś wiszącego na wysokości głowy Koraliny runęło na ziemię, wylądowało i odbiegło.

– Dalej! – zawołał kot. – To nie jest dobre miejsce. Szybko.

Koralina odwróciła się od drzwi i zaczęła biec przez czarny korytarz, przesuwając dłonią wzdłuż ściany, by się upewnić, że na nic nie wpadnie ani nie zawróci w ciemności.

Miała wrażenie, że biegnie pod górę, coraz dalej i dalej, niewyobrażalnie długo. Ściana, której dotykała, stała się miękka i ciepła, zupełnie jakby porastało ją puszyste futro. Poruszała się, jak gdyby oddychała. Koralina gwałtownie cofnęła rękę.

W ciemności skowyczał wiatr.

Bojąc się, że na coś wpadnie, ponownie sięgnęła ku ścianie. Tym razem dotknęła czegoś gorącego i mokrego, jakby wsunęła palce w czyjąś paszczę. Odskoczyła z jękiem.

Oczy przywykły jej do ciemności. Przed sobą dostrzegała jaśniejące słabo sylwetki, dwóch dorosłych, trójkę dzieci. Słyszała też kota, biegnącego przed nią w mroku.

I było coś jeszcze, coś, co nagle śmignęło między jej stopami, o mało nie zbijając Koraliny z nóg. Odzyskała równowagę, nim upadła, wykorzystując własny rozpęd. Wiedziała, że gdyby przewróciła się w tym korytarzu, być może nigdy już by nie wstała.

Czymkolwiek był ów korytarz, w porównaniu z nim druga matka wydawała się młoda. Był głęboki, długi i wiedziała, że ktoś w nim jest.

W oddali pojawiło się światło. Popędziła ku niemu, dysząc i ze świstem wciągając powietrze.

– Już prawie jesteśmy! – zawołała zachęcająco, lecz w świetle zjawy zniknęły. Była sama. Nie miała czasu zastanawiać się, co się z nimi stało. Gwałtownie chwytając oddech, wpadła do pokoju, zatrzaskując za sobą drzwi z najgłośniejszym, najbardziej zadowalającym hukiem, jaki w życiu słyszała.

Natychmiast zamknęła drzwi na klucz i schowała go do kieszeni.

Czarny kot kulił się w najdalszym kącie pokoju, patrząc przed siebie szeroko otwartymi oczami. Koralina dostrzegła różowy koniuszek języka. Podeszła do niego i przykucnęła.

– Przepraszam – powiedziała. – Przepraszam, że tak cię rzuciłam, ale chodziło o to, żeby odwrócić jej uwagę i pozwolić nam uciec. Sama z siebie nigdy nie dotrzymałaby słowa, prawda?

Kot spojrzał na nią, potem położył jej głowę na dłoni, liżąc palce szorstkim języczkiem. Zaczął mruczeć.

– A zatem wciąż jesteśmy przyjaciółmi? – zapytała Koralina.

Usiadła na jednym z niewygodnych foteli babci. Kot wskoczył jej na kolana i usadowił się wygodnie.

Przez okno do pokoju wpadało światło, prawdziwe dzienne światło, złociste popołudniowe słońce, nie biały odblask mgły. Niebo miało barwę czystego błękitu. Koralina widziała też drzewa, a za nimi zielone wzgórza, które ciągnęły się aż po horyzont, rozpływając się w fiolecie i szarości. Nigdy wcześniej niebo nie było tak bardzo niebem, a świat tak bardzo światem.

Koralina patrzyła na liście drzew i plamy światła i cienia na popękanej korze rosnącego za oknem buku. Potem spuściła wzrok. Promienie słońca odbijały się w każdym włosie na głowie kota, zamieniając białe wąsiki w złoto.

Nic – pomyślała – nie mogłoby być bardziej interesujące.

I zachwycona tym, jak bardzo ciekawy stał się świat, Koralina nie dostrzegła nawet, kiedy sama skuliła się po kociemu w niewygodnym fotelu babki i osunęła w głęboki, pozbawiony marzeń sen.

XII.

Matka potrząsnęła nią łagodnie.

– Koralino – rzekła. – Kochanie, co za dziwne miejsce na drzemkę. Ten pokój jest naprawdę niesamowity. Szukaliśmy cię wszędzie.

Koralina przeciągnęła się i zamrugała.

– Przepraszam – powiedziała – chyba zasnęłam.

– To widzę – odparła matka. – I skąd się wziął ten kot? Kiedy weszłam, czekał przy drzwiach. Wypadł na zewnątrz jak pocisk.

– Pewnie miał coś do załatwienia. – Koralina uścisnęła matkę tak mocno, że zabolały ją ręce. Matka odwzajemniła jej uścisk.

– Obiad za piętnaście minut – oznajmiła. – Nie zapomnij umyć rąk. I spójrz tylko na swoje spodnie! Co się stało z twoim kolanem?

– Potknęłam się – wyjaśniła Koralina.

Poszła do łazienki, umyła ręce i oczyściła zakrwawione kolano, dezynfekując maścią skaleczenia i zadrapania.

Wróciła do sypialni – prawdziwej, rzeczywistej sypialni – wepchnęła ręce do kieszeni szlafroka i wyciągnęła trzy szklane kulki, kamień z dziurką pośrodku, czarny klucz i pustą kulę śnieżną.

Potrząsnęła kulą, patrząc, jak lśniące śnieżne płatki tańczą i wirują w wodzie, zapełniając pusty świat. Odstawiła ją.

Śnieg zaczął opadać, pokrywając miejsce, w którym niegdyś stała maleńka para figurek.

Ze skrzynki z zabawkami Koralina wyjęła kawałek sznurka, przewlekła go przez ucho klucza. Potem zawiązała i powiesiła go sobie na szyi.

– Proszę – rzekła. Włożyła ubranie, ukrywając klucz pod koszulką. Dotykający skóry metal był bardzo zimny. Kamień trafił do kieszeni.

Koralina przeszła korytarzem do gabinetu ojca. Siedział tyłem do niej, lecz gdy tylko go ujrzała, wiedziała, że kiedy się odwróci, spojrzą na nią łagodne szare oczy. Podkradła się cicho i ucałowała go w tył łysiejącej głowy.

– Cześć, Koralino – powiedział. Potem odwrócił się i uśmiechnął do niej. – Za co to?

– Za nic – odparła Koralina. – Po prostu czasami tęsknię, i tyle.

– To dobrze – rzekł. Wyłączył komputer, a potem bez żadnego powodu podniósł Koralinę, choć nie robił tego od bardzo dawna, odkąd stwierdził, że jest za duża, by ją dźwigać, i zaniósł do kuchni.

Tego wieczoru na obiad była pizza. I choć została upieczona przez ojca (ciasto miejscami było grube, miękkie i surowe, a miejscami za cienkie i przypalone) i choć położył na nią kawałki zielonej papryki, małe klopsiki i, wyobraźcie sobie tylko, kawałki ananasa, Koralina zjadła cały podany jej kawałek.

No, prawie cały. Ananasa zostawiła.

Niedługo potem poszła się położyć. Nie zdjęła klucza z szyi. Szare kulki wsunęła pod poduszkę i tej nocy miała niezwykły sen.

Była na pikniku pod starym dębem na zielonej łące. Słońce wisiało wysoko, a choć na horyzoncie dostrzegła odległe białe obłoki, niebo nad głową miało barwę głębokiego, pogodnego błękitu.

Na trawie rozłożono biały lniany obrus i rozstawiono mnóstwo półmisków – sałatki i kanapki, orzechy i owoce, dzbanki lemoniady, wody i gęstego mleka czekoladowego. Koralina siedziała z jednej strony, trzy pozostałe miejsca zajmowały dzieci, odziane nader osobliwie.

Najmniejszym z nich, siedzącym po lewej stronie Koraliny, był chłopiec ubrany w czerwone aksamitne pumpy i białą falbaniastą koszulę. Twarz miał brudną. Na talerz nałożył sobie stos młodych gotowanych ziemniaczków i zimnego gotowanego pstrąga.

– Cóż za cudowny piknik, moja pani – rzekł do niej.

– Owszem – przytaknęła Koralina – istotnie. Ciekawe, kto go zorganizował.

– Ależ, jak się zdaje, ty, pani – wtrąciła wysoka dziewczynka, siedząca naprzeciwko Koraliny, ubrana w brązową bezkształtną suknię i brązowy czepek z wstążkami zawiązanymi pod brodą. – A my jesteśmy ci zań wdzięczni. Za niego i za wszystko inne. Słowa nie potrafią wyrazić naszej wdzięczności.

Dziewczynka jadła kromki chleba z dżemem. Zręcznie odkrawała kolejne kawałki z dużego złocistobrązowego bochenka wielkim nożem, a potem drewnianą łyżką nakładała na nie fioletowy dżem. Całą buzię miała wymazaną dżemem.

– O tak, to najsmaczniejsze dania, jakie jadłam od wieków – dodała dziewczynka z prawej strony Koraliny, blada, ubrana w coś, co najbardziej przypominało pajęczyny. W jasnych włosach lśniła srebrzysta opaska. Koralina mogłaby przysiąc, że dziewczynka ma skrzydła – nie ptasie, lecz srebrzyste skrzydełka motyla, wyrastające z pleców. Na jej talerzu piętrzył się stos barwnych kwiatów. Uśmiechnęła się do Koraliny, jakby nie uśmiechała się od bardzo dawna i niemal, choć nie do końca, zapomniała, jak to się robi. Koralina odkryła, że czuje do niej ogromną sympatię.

A potem, jak to bywa w snach, piknik dobiegł końca i cała czwórka bawiła się na łące. Biegali, krzyczeli, rzucali sobie błyszczącą piłkę. Koralina zrozumiała wówczas, że to sen, bo żadne z nich się nie zmęczyło, nie zdyszało. Nawet się nie spociła. Po prostu śmiali się i biegali, grając w coś, co trochę przypominało berka, trochę zbijanego, a tak naprawdę było po prostu świetną zabawą.

Trójka z nich biegała po ziemi. Jasnoskóra dziewczynka fruwała nad ich głowami, śmigając na motylich skrzydłach, by schwytać piłkę, i wznosząc się w niebo, nim odrzuciła ją któremuś z pozostałych uczestników zabawy.

Nagle, bez jednego słowa gra dobiegła końca. Cała czwórka wróciła na miejsca wokół obrusa. Lunch zniknął; zamiast niego czekały na nich cztery miseczki, trzy pełne lodów, jedna kwiatów dzwonka.

Zgodnie rzucili się na desery.

– Dziękuję, że przyszliście na moje przyjęcie – powiedziała Koralina. – Jeśli rzeczywiście jest moje.

– Cała przyjemność po naszej stronie, Koralino Jones – odparła skrzydlata dziewczynka, chrupiąc kolejny dzwonek. – Gdybyśmy tylko mogli coś dla ciebie zrobić, odwdzięczyć się, podziękować.

– O tak – dodał chłopiec w czerwonych aksamitnych pumpach, obracając ku niej umorusaną buzię. Wyciągnął rękę i chwycił dłoń Koraliny. Teraz jego palce były bardzo ciepłe.

– Uczyniłaś nam ogromną przysługę, pani – rzekła wysoka dziewczynka. Usta miała wysmarowane czekoladowymi lodami.

– Po prostu cieszę się, że to już koniec – odparła Koralina.

Czy tylko to sobie wyobraziła, czy też po twarzach pozostałych uczestników pikniku przebiegł cień? Skrzydlata dziewczynka, której opaska lśniła niczym gwiazda, na moment musnęła palcami wierzch dłoni Koraliny.

– Dla nas to już koniec – powiedziała. – To nasz ostatni przystanek. Stąd wyruszymy do niezbadanych krain. Co będzie potem, nie wie nikt żywy... – Umilkła.

– Jest jakieś ale, prawda? – zapytała Koralina. – Czuję to, jak deszczową chmurę w dali.

Chłopiec po jej lewej próbował uśmiechnąć się odważnie, lecz jego dolna warga zadrżała. Przygryzł ją zębami; milczał. Dziewczynka w brązowym czepku poruszyła się niespokojnie.

– Tak, pani – rzekła.

– Ale przecież sprowadziłam was tutaj, uwolniłam też mamę i tatę, zamknęłam drzwi na klucz. Co jeszcze miałam zrobić?

Chłopiec mocno uścisnął rękę Koraliny. Nagle przypomniała sobie, jak zrobiła to samo, próbując go pocieszyć, gdy był jedynie chłodnym wspomnieniem w mroku.

– Nie możecie mi dać jakiejś wskazówki? – spytała Koralina. – Powiedzieć czegokolwiek?

– Wiedźma przysięgła na swą prawą dłoń – oznajmiła wysoka dziewczynka – ale skłamała.

– Moja guwernantka – dodał chłopiec – mawiała, że nikomu nie przypada większe brzemię, niż zdoła udźwignąć. – Mówiąc to, wzruszył ramionami, jakby wciąż nie był pewien, czy to prawda, czy nie.

– Powodzenia – powiedziała skrzydlata dziewczyna. – Życzymy ci szczęścia, mądrości, odwagi. Choć pokazałaś już, że nie brak ci żadnego z owych błogosławieństw. Masz ich wręcz w nadmiarze.

– Ona cię nienawidzi – swtierdził chłopiec. – Od tak dawna niczego nie straciła. Bądź mądra, bądź dzielna, bądź podstępna.

– Ale to nieuczciwe! – rzekła we śnie gniewnie Koralina. – To po prostu nieuczciwe. Wszystko powinno się skończyć.

Chłopiec o brudnej twarzy wstał i mocno uścisnął Koralinę.

– Pociesz się tym – szepnął – że żyjesz. Jesteś żywa.

I we śnie Koralina ujrzała, jak słońce zachodzi. Na ciemniejącym niebie rozbłysły gwiazdy.

Stała na łące, patrząc, jak trójka dzieci (dwoje szło, trzecie leciało nad nimi) oddala się w głąb łąki, srebrzystej w blasku olbrzymiego księżyca.

Cała trójka dotarła do małego drewnianego mostka nad strumieniem. Zatrzymali się tam, odwrócili i pomachali. Koralina pomachała im w odpowiedzi.

A potem nadeszła ciemność.

Koralina ocknęła się nad ranem, przekonana, że coś usłyszała. Nie wiedziała jednak co.

Czekała.

Coś zaszeleściło przed drzwiami jej sypialni. Może to szczur? – pomyślała. Drzwi zatrzęsły się. Koralina wyskoczyła z łóżka.

– Idź sobie – rzuciła ostro. – Odejdź albo pożałujesz.

Po chwili ciszy tajemniczy intruz odbiegł w głąb korytarza. W jego krokach było coś dziwnego, nierytmicznego. Koralina zastanawiała się, czy może szczur ma dodatkową nogę...

– To nie koniec, prawda? – powiedziała sama do siebie.

Otworzyła drzwi sypialni. W szarym świetle przedświtu ujrzała cały korytarz. Był pusty.

Ruszyła w stronę frontowych drzwi, zerkając szybko w wymontowane z szafy lustro, wiszące po drugiej stronie korytarza. Ujrzała wyłącznie swą własną bladą twarz, senną i poważną. Z sypialni rodziców dobiegało ciche, dodające otuchy pochrapywanie. Drzwi jednak były zamknięte. Wszystkie drzwi w korytarzu były zamknięte. Cokolwiek ją zbudziło, musiało gdzieś się ukryć.

Koralina otworzyła frontowe drzwi i spojrzała na szare niebo. Zastanawiała się, kiedy wzejdzie słońce i czy jej sen był czymś prawdziwym. W głębi serca wiedziała, że tak. Coś, co z początku wzięła za cień pod kanapą, wyskoczyło z mroku i popędziło szaleńczo ku drzwiom, na długich białych nogach.

Koralina otwarła ze zgrozy szeroko usta i odskoczyła, gdy intruz przebiegł obok niej i dalej za próg, poruszając się niczym krab na zbyt wielu chudych, zwężających się, tupiących nóżkach.

Wiedziała, czym jest, i wiedziała, czego szuka. Przez ostatnich kilka dni widywała go aż nazbyt często, sięgającego naprzód, chwytającego różne rzeczy i wsuwającego posłusznie do ust drugiej matki czarne żuki. Intruz na pięciu nogach zakończonych szkarłatnymi paznokciami. Nogach barwy kości.

To była prawa dłoń drugiej matki.

Szukała czarnego klucza.

XIII.

Rodzice Koraliny w ogóle nie pamiętali czasu spędzonego w śnieżnej kuli. A przynajmniej nigdy o tym nie wspominali, a Koralina nie pytała.

Czasami zastanawiała się, czy w ogóle zauważyli, że w prawdziwym świecie minęły dwa dni. W końcu doszła do wniosku, że nie. Z drugiej strony istnieją ludzie, którzy dokładnie pilnują każdego dnia i godziny, oraz tacy, co nie zwracają uwagi na upływ czasu. A rodzice Koraliny należeli z pewnością do owej drugiej grupy.

Pierwszej nocy po powrocie do domu Koralina przed snem wsunęła pod poduszkę szklane kulki. Po spotkaniu z dłonią drugiej matki wróciła do sypialni, choć nie pozostało jej zbyt wiele czasu na sen. Położyła głowę na poduszce.

Usłyszała cichy chrzęst.

Usiadła i podniosła poduszkę. Kawałki szklanych kulek przypominały skorupki jajek, znajdowane wiosną pod drzewami: puste, potrzaskane skorupki jajka drozda albo bardziej delikatne, może strzyżyka.

Cokolwiek tkwiło wewnątrz szklanych kulek, zniknęło. Koralina przypomniała sobie trójkę dzieci machających jej na pożegnanie w blasku księżyca, nim przeszły na drugą stronę srebrnego strumienia.

Ostrożnie zebrała cieniutkie skorupki i umieściła je w małym niebieskim pudełku, w którym kiedyś kryła się bransoletka. W dzieciństwie dostała ją od babci i już dawno zgubiła, ale pudełko zostało.

Panny Spink i Forcible wróciły od siostrzenicy panny Spink i Koralina poszła do nich na podwieczorek. Był poniedziałek. W środę zaczynała się szkoła, cały nowy szkolny rok.

Panna Forcible upierała się, że znów powróży Koralinie z fusów.

– No, no, wygląda na to, że wszystko jest w deseczkę. Cud, miód, malina i szklanka wina – oznajmiła panna Forcible.

– Słucham? – rzekła Koralina.

– Wszystko układa się znakomicie – wyjaśniła panna Forcible. – No, prawie wszystko. Nie jestem pewna co do tego. – Wskazała przylepioną do boku filiżanki grudkę fusów.

Panna Spink zacmokała i wyciągnęła rękę.

– Ależ, Miriam. Jesteś beznadziejna. Pokaż. Zobaczmy...

Zamrugała oczami za grubymi szkłami.

– Ojej, nie. Nie mam pojęcia, co to znaczy. Wygląda prawie jak ręka.

Koralina spojrzała. Grudka fusów istotnie przypominała sięgającą po coś dłoń.

Szkocki terier Hamish chował się pod krzesłem panny Forcible i nie chciał wyjść.

– Chyba wdał się w bójkę – oznajmiła pana Spink. – Ma na boku długie skaleczenie. Biedactwo. Dziś po południu zabierzemy go do weterynarza. Chciałabym wiedzieć, co go tak zraniło.

Koralina zrozumiała, że coś trzeba z tym zrobić.

Przez ostatni tydzień wakacji pogoda była piękna, zupełnie jakby lato próbowało wynagrodzić ludziom wcześniejszą paskudną pogodę, obdarowując ich na koniec ciepłymi słonecznymi dniami.

Szalony starzec z góry zawołał Koralinę, gdy ujrzał, jak wychodzi z mieszkania panien Spink i Forcible.

– Hej, cześć! Ty, Karolino! – krzyknął przez poręcz.

– Nazywam się Koralina – poprawiła. – Jak się miewają myszy?

– Coś je spłoszyło – oznajmił staruszek, drapiąc się pod wąsem. – Mam wrażenie, że w domu zamieszkała łasica. Coś po nim krąży. Słyszę to w nocy. W moim kraju zastawilibyśmy pułapkę. Zanęcilibyśmy kawałkiem mięsa albo hamburgera. A kiedy zwierzak przyszedłby coś przekąsić, wówczas bam!, zostałby schwytany i nie szkodził więcej. Myszy są tak przerażone, że nie chcą nawet tknąć swoich instrumentów.

– Wątpię, by ten stwór miał ochotę na mięso – odparła Koralina. Uniosła rękę i dotknęła wiszącego na szyi czarnego klucza. Potem wróciła do domu.

Wykąpała się. Nawet w wannie miała na szyi klucz. W ogóle go nie zdejmowała.

Kiedy poszła do łóżka, coś zaczęło drapać w okno jej sypialni. Koralina niemal już spała, wyślizgnęła się jednak spod kołdry i odsunęła zasłony. Biała ręka o szkarłatnych paznokciach zeskoczyła z parapetu na rynnę i natychmiast zniknęła jej z oczu. W szkle po drugiej stronie okna pozostały głębokie szramy.

Tej nocy Koralina spała niespokojnie. Od czasu do czasu budziła się, rozmyślając i snując plany, a potem znów zasypiała. Sama nie wiedziała, kiedy kończy się rozmyślanie, a zaczynają sny. Cały czas nadstawiała ucha, czekając na odgłos drapania w okno albo drzwi.

Rano Koralina powiedziała do matki:

– Chcę dziś urządzić piknik dla lalek. Mogłabym pożyczyć prześcieradło – stare, niepotrzebne – żeby zrobić z niego obrus?

– Wątpię, bym miała coś takiego – odparła matka. Otworzyła szufladę w kuchni, w której przechowywała serwetki i obrusy, i zaczęła w niej grzebać. – Chwileczkę. To się nada?

„To" było złożonym papierowym obrusem w kwiatki, pozostałym po pikniku, który zorganizowali kilka lat wcześniej.

– Jest idealny – oznajmiła Koralina.

– Zdawało mi się, że nie bawisz się już lalkami – zauważyła pani Jones.

– Bo się nie bawię – przyznała Koralina. – To tylko mimikra.

– No cóż, wróć tylko na lunch. I baw się dobrze.

Koralina włożyła do pudełka lalki i plastikowe filiżanki dla lalek. Napełniła dzbanek wodą.

Potem wyszła na zewnątrz. Ruszyła w stronę drogi, jakby wybierała się do sklepu. Nim jednak dotarła do supermarketu, przeszła przez płot na łąkę i dalej, wzdłuż starego podjazdu. Potem przeczołgała się pod żywopłotem. Musiała pokonać tę trasę dwa razy, żeby nie wylać wody z dzbanka.

To była długa, okrężna droga, ale pod jej koniec Koralina miała pewność, że nikt jej nie śledził.

Znalazła się tuż za zarośniętym kortem tenisowym. Przeszła przez niego na łąkę pełną długich rozkołysanych traw. Znalazła deski na skraju łąki. Okazały się zdumiewająco ciężkie, niemal zbyt ciężkie dla dziewczynki wytężającej wszystkie siły, zdołała jednak je podnieść. Nie miała wyboru. Odciągnęła deski na bok, jedną po drugiej, spocona i zasapana, i odsłoniła głęboką, okrągłą, wyłożoną cegłami dziurę w ziemi. Studnia pachniała wilgocią i mrokiem. Cegły były zielonkawe i oślizłe.

Koralina wyjęła obrus i rozłożyła go starannie nad studnią. Na jej brzegach co kilkanaście centymetrów rozstawiła plastikowe filiżanki dla lalek. Każdą z nich obciążyła wodą z dzbanka.

Obok filiżanek posadziła na trawie lalki, starając się, by wszystko przypominało lalczyne przyjęcie. Potem powtórzyła całą drogę pod żywopłotem, żółtym zakurzonym podjazdem, koło sklepów, z powrotem do domu.

Gdy dotarła na miejsce, wyjęła z kieszeni klucz i zaczęła machać nim beztrosko, jakby był po prostu zwykłą zabawką. Zastukała do drzwi mieszkania panien Spink i Forcible.

Otworzyła panna Spink.

– Witaj, słonko – powiedziała.

– Nie chcę wchodzić – odparła Koralina. – Przyszłam tylko dowiedzieć się, jak się miewa Hamish.

Panna Spink westchnęła.

– Weterynarz twierdzi, że Hamish to dzielny mały żołnierz. Na szczęście nie wdało się zakażenie. Nie mamy pojęcia, co mogło go tak mocno skaleczyć. Weterynarz mówi, że pewnie jakieś zwierzę, ale zupełnie nie wie jakie. Pan Bobo uważa, że to mogła być łasica.

– Pan Bobo?

– Lokator z góry, pan Bobo. Pochodzi ze starej cyrkowej rodziny. Rumuńskiej czy słoweńskiej, czy może liwońskiej. Z któregoś z tych krajów. Nigdy nie potrafiłam ich spamiętać.

Koralinie nigdy nie przyszło do głowy, że szalony starzec z góry może mieć jakieś nazwisko. Gdyby wiedziała, że nazywa się pan Bobo, powtarzałaby je przy każdej okazji. Jak często ma się sposobność mówić głośno o panu Bobo?

– Ach tak – mruknęła teraz. – Pan Bobo, rozumiem. No cóż – dodała nieco głośniej. – Teraz idę pobawić się lalkami koło starego kortu tenisowego, na tyłach.

– To miło, słonko – odparła panna Spink, po czym dodała konfidencjonalnie: – Uważaj tylko na starą studnię. Pan Lovat, który mieszkał tu przed wami, wspominał, że może być głęboka na pół mili albo i więcej.

Koralina miała nadzieję, że ręka nie dosłyszała tej informacji. Natychmiast zmieniła temat.

– Ten klucz? – powiedziała głośno. – To tylko stary klucz z naszego domu. Część mojej zabawy. Dlatego noszę go ze sobą na sznurku. No cóż, do widzenia.

– Co za niezwykłe dziecko – powiedziała do siebie panna Spink, zamykając drzwi.

Koralina ruszyła swobodnym krokiem przez łąkę w stronę starego kortu, cały czas wymachując beztrosko czarnym kluczem.

Kilka razy wydało jej się, że wśród poszycia dostrzega coś barwy kości. Dotrzymywało jej kroku jakieś dziesięć metrów dalej. Próbowała zagwizdać, lecz z jej ust nie dobył się żaden dźwięk. Zamiast tego zatem zaśpiewała głośno piosenkę, którą ułożył dla niej ojciec, gdy była bardzo mała, i która zawsze ją rozśmieszała. Szła o tak:

Moja dziewczynko, moja malutka,
Jesteś kochana taka,
Daję ci pełno smacznej owsianki
I daję zupę z kurczaka
mi.
Często ci daję całusy,
I ściskam wprost spod wieszaka,
Ale nie daję ci nigdy
Kanapek z robaka
mi.

To właśnie śpiewała, maszerując przez lasek. Jej głos prawie nie drżał.

Przyjęcie dla lalek wyglądało dokładnie tak jak przedtem. Koralina z ulgą pomyślała, że dzień nie jest wietrzny. Wszystko stało na miejscu. Każda wypełniona wodą plastikowa filiżanka obciążała i podtrzymywała obrus tak jak powinna. Koralina odetchnęła cicho.

Teraz nadeszła najtrudniejsza część zadania.

– Cześć, lalki! – zawołała radośnie Koralina. – Czas na podwieczorek.

Podeszła do obrusa.

– Przyniosłam szczęśliwy klucz – poinformowała lalki. – Żeby zapewnić nam dobrą zabawę.

A potem, najostrożniej jak umiała, pochyliła się i delikatnie położyła klucz na obrusie. Palcami wciąż podtrzymywała sznurek. Wstrzymała oddech z nadzieją, że filiżanki wody ustawione na krawędziach studni utrzymają obrus wraz z dodatkowym ciężarem klucza.

Klucz leżał pośrodku papierowego piknikowego obrusa. Koralina puściła sznurek i cofnęła się o krok. Teraz wszystko zależało od ręki.

Odwróciła się do lalek.

– Kto ma ochotę na kawałek placka z wiśniami? – spytała. – Jemima? Pinky? Przylaszczka? – Podała każdej lalce kawałek niewidzialnego ciasta na niewidzialnym talerzu, cały czas szczebiocząc radośnie.

Kątem oka dostrzegła, jak coś kościanobiałego przeskakuje od jednego pnia do drugiego, coraz bliżej i bliżej. Zmusiła się, by odwrócić głowę.

– Jemima! – zawołała Koralina. – Co za niegrzeczna dziewczynka. Upuściłaś ciasto! Teraz będę musiała do ciebie podejść i ukroić nowy kawałek!

Szybko okrążyła zaimprowizowany stół tak, by znaleźć się naprzeciwko ręki. Udała, że sprząta resztki ciasta i nakłada Jemimie kolejny kawałek.

I wtedy rozległ się szelest, cichy tupot i nagle pojawiła się ona, ręka. Unosząc się wysoko na czubkach paznokci, przemknęła szybko przez wysoką trawę i wdrapała się na pieniek. Przez chwilę stała tam nieruchomo niczym krab sprawdzający powietrze, a potem, tryumfalnie stukając paznokciami, skoczyła na sam środek papierowego obrusa.

Dla Koraliny czas zwolnił gwałtownie. Białe palce zacisnęły się wokół czarnego klucza...

I wówczas ciężar i siła rozpędu dłoni sprawiły, że plastikowe filiżanki dla lalek poleciały w powietrze, a papierowy obrus, klucz i dłoń drugiej matki runęły w dół w głąb mrocznej studni.

Koralina zaczęła powoli liczyć. Dotarła do czterdziestu, nim usłyszała stłumiony plusk. Dobiegał z bardzo daleka

Ktoś kiedyś powiedział jej, że jeśli popatrzy się w górę z kopalnianego szybu, to nawet w pogodny dzień widać nocne niebo i gwiazdy. Koralina zastanawiała się, czy dłoń także ujrzała gwiazdy z dna studni.

Szybko przyciągnęła ciężkie deski z powrotem na cembrowinę, zakrywając ją bardzo starannie. Nie chciała, by coś wpadło do środka. Nie chciała, by cokolwiek się stamtąd wydostało.

Następnie zebrała lalki i filiżanki z powrotem do kartonowego pudełka, w którym je przyniosła. Gdy to robiła, coś zwróciło jej uwagę. Wyprostowała się i ujrzała zbliżającego się cicho czarnego kota. Ogon trzymał wysoko uniesiony, zagięty na końcu w znak zapytania. Nie widziała go od kilku dni, od czasu wspólnego powrotu z domu drugiej matki.

Kot podszedł do niej i wskoczył na przykrywające studnię deski. Mrugnął porozumiewawczo do Koraliny.

Potem zeskoczył na długą trawę u stóp Koraliny i przewrócił się na grzbiet, radośnie machając łapkami.

Koralina podrapała i połaskotała miękkie futerko na brzuchu kota, który zamruczał z zachwytem. Gdy miał dosyć, ponownie się przekręcił i odszedł w stronę kortu tenisowego – mała plama nocy w południowym słońcu.

Koralina wróciła do domu.

Na podjeździe czekał na nią pan Bobo. Klepnął ją w ramię.

– Myszy mówią, że wszystko jest już dobrze – rzekł. – Mówią, że nas ocaliłaś, Karolino.

– Nazywam się Koralina, panie Bobo. Nie Karolina, Koralina.

– Koralina – powtórzył z zachwytem i szacunkiem pan Bobo. – Doskonale, Koralino. Myszy kazały ci przekazać, że gdy tylko będą gotowe do występów publicznych, masz przyjść i je obejrzeć, zostać ich pierwszą widownią. Zagrają ci umpa, umpa i tidu didu, zatańczą i pokażą tysiąc sztuczek. To właśnie powiedziały.

– Będzie mi bardzo miło – odparła Koralina. – Gdy tylko będą gotowe.

Zastukała do drzwi panien Spink i Forcible. Panna Spink wpuściła ją do środka i Koralina weszła do salonu. Położyła na podłodze pudełko z lalkami, wsunęła rękę do kieszeni i wyjęła kamień z dziurką pośrodku.

– Proszę – powiedziała. – Już go nie potrzebuję. Jestem bardzo wdzięczna. Myślę, że uratował mi życie, a także śmierci kilku innych osób.

Uścisnęła mocno obie stare panny, choć jej ramiona ledwie zdołały objąć pannę Spink, a panna Forcible pachniała ostro czosnkiem, który właśnie kroiła. Potem Koralina zabrała pudełko i wyszła.

– Co za niezwykłe dziecko – mruknęła panna Spink. Nikt i nigdy jej tak nie ścisnął, odkąd wycofała się ze sceny.

* * *

Tej nocy, gdy Koralina leżała w łóżku, wykąpana, z umytymi zębami, wpatrywała się szeroko otwartymi oczami w sufit.

Było ciepło, toteż, ponieważ pozbyła się już ręki, szeroko otworzyła okno sypialni. Zdołała przekonać ojca, by nie zasuwał do końca zasłon.

Na krześle leżał starannie złożony szkolny strój, który miała przywdziać rano.

Zwykle w noc przed pierwszym dniem nowego roku szkolnego Koralina bardzo się denerwowała, teraz jednak uświadomiła sobie, że w szkole nie ma nic, czego miałaby się bać.

Nagle wydało jej się, że w nocnym powietrzu słyszy muzykę. Taką, którą można zagrać wyłącznie na malutkich srebrnych trąbkach, tubach i puzonach, na fletach i fagotach tak delikatnych i małych, że ich klawisze mogą naciskać jedynie maleńkie różowe paluszki białych myszy.

Koralina wyobraziła sobie, że znów znalazła się w swoim śnie z dwiema dziewczynkami i chłopcem pod dębem na łące. Uśmiechnęła się.

Gdy na niebie zalśniły pierwsze gwiazdy, w końcu osunęła się w sen. Łagodna muzyka mysiego cyrku, dźwięcząca w ciepłym wieczornym powietrzu, oznajmiała światu, że lato dobiega końca.

MR BOBO'S
MOUSEST

NIGDZIEBĄDŹ

Neil Gaiman

Bardzo straszna
Bardzo śmieszna
Bardzo osobliwa

Najlepsza humorystyczna powieść fantasy
lat dziewięćdziesiątych.

Pełna niezwykłych przygód, barwnych postaci
i niesamowitych zdarzeń.

Neil Gaiman, laureat World Fantasy Award,
jest znany w Polsce z powieści
„Dobry Omen", napisanej wspólnie
z Terrym Pratchettem.

GWIEZDNY PYŁ

Neil Gaiman

Najwspanialsza baśniowa fantasy XX wieku.

Fascynująca wyprawa
do krainy wyobraźni.

Dla czytelników kochających niesamowite
przygody i zdrowy, czarny humor.

Książka nagrodzona Mythopeic Fantasy Award.

Neil Gaiman, laureat World Fantasy Award,
jest znany w Polsce z powieści
„Nigdziebądź", oraz „Dobry Omen",
napisanej wspólnie z Terrym Pratchettem.

DYM I LUSTRA

Neil Gaiman

Zebrane w tej książce historie pochodzą z niezliczonych krain „Po drugiej stronie lustra". Są wytworem bujnej wyobraźni Neila Gaimana – jednego z największych współczesnych mistrzów literatury fantastycznej. Opowiadają o wydarzeniach zabawnych, wzruszających, budzących grozę lub po prostu cudownych. Łączy je nie tylko osoba autora, znanego również z powieści „Nigdziebądź", „Gwiezdny Pył" i „Dobry Omen", napisanej wspólnie z Terrym Pratchettem, ale przede wszystkim niezwykła sugestywność i oryginalność kreowanych wizji.